Das Buch

»Ich habe heute die Katze ausgesetzt. Ich habe sie an einem Waldrain, zum Feld hin verlassen, ich rannte davon, damit sie mich nicht einholt. Es war der liebste Kater, den ich je hatte ... Er soll sich verlaufen.« Eine junge Frau, aus Prag stammend, Dozentin für Literatur an einer deutschen Universität, pendelt zwischen zwei Städten, zwei Männern. Sie beschreibt ihren Alltag zu Hause und an der Universität, ihren Ärger über jene Deutschen, die gedankenlos immer noch von der »Tschechei« sprechen, über die strickenden Seminarteilnehmerinnen – immer wieder verflochten mit Literaturzitaten und musikalisch unterlegt von Ravels ›Pavane Pour Une Infante Défunte‹. Obwohl durchaus gehfähig, ersteigert sie einen Rollstuhl, den sie fortan als ihren »ambulanten Thron« benutzt ... Helmut Heissenbüttel schrieb in der ›Frankfurter Rundschau‹: »Die Stärke dieser Erzählung besteht unter anderem darin, daß einfach so stehen bleiben kann, was gesagt wird, und kaum der Versuch gemacht wird, zu konstruieren, abzuleiten, zu determinieren.«

Die Autorin

Libuše Moníková, geboren 1945 in Prag, studierte Anglistik und Germanistik und lebt seit 1971 in der Bundesrepublik. Lehrbeauftragte für Literatur und Komparatistik, seit 1981 freie Schriftstellerin. Essays über Borges, Kafka, Lem und Wedekind. Ihre erste literarische Arbeit war die Erzählung ›Eine Schädigung‹ (1981). Für ihren Roman ›Die Fassade‹ (1987) erhielt sie den Alfred-Döblin-Preis.

Libuše Moníková:
Pavane für eine verstorbene Infantin
Roman

Deutscher
Taschenbuch
Verlag

Ungekürzte Ausgabe
Oktober 1988
Deutscher Taschenbuch Verlag GmbH & Co. KG,
München
© 1983 Rotbuch Verlag, Berlin
ISBN 3-88022-278-9
Umschlaggestaltung: Celestino Piatti
Gesamtherstellung: C. H. Beck'sche Buchdruckerei,
Nördlingen
Printed in Germany · ISBN 3-423-10960-2

Ich schalte ein in einen Bericht über die Findelkinder vom Kriegsende. Sie kennen ihren Geburtsort und ihr Geburtsdatum nicht, ihr Alter kann bis zu zwei Jahren differieren, meist haben sie schon mehrere Namen gehabt. Einem Mann wurde der Name fünfmal geändert, hinter jedem Namen stand »genannt«. Einige finden noch nach Jahrzehnten ihre Eltern und Geschwister über das Rote Kreuz, eigene Initiative hat wenig Aussicht auf Erfolg.

Die Zusammenführung – nicht selten unter Mithilfe eines Dolmetschers: die ersten zwanghaften Umarmungen, das Lächeln, die Pflegeeltern sind eingeladen, sie stehen da und freuen sich verwirrt für ihre Kinder.

Das Festival der Kurzfilme in Oberhausen. Die Vorsitzende, etwa achtunddreißig, selbstbewußt, nennt unter den vertretenen Ländern die *Tschechei* – kein Land sonst verstümmelt. Der jugoslawische Beitrag ›Die Ramme‹. Auf einem Fließband werden geschlüpfte Küken von Frauenhänden sortiert. Die nicht rechtzeitig ausgeschlüpften bleiben liegen und kommen in einen Behälter, wo sie mit den Eierschalen von einer Ramme zu Hühnerfutter zerstampft werden. Die Ramme ist nicht automatisch, man sieht zwei Männerhände, die sie bedienen. Ein schwarzes Küken steht mit den anderen geschlüpften auf dem Band. Es wird zur Seite geschoben und treibt mit dem lebenden Abfall zu der Tonne. Es läuft zurück, wird wieder von der Frau zurückgestoßen, noch einmal läuft es gegen das Band, aber es gehört nicht in die Legebatterie. So gleitet es auf dem Band in die Grube, wo Hunderte von Küken ihre ersten Bewegungen probieren, aus den Schalen schlüpfen, jetzt völlig normal, nur um Sekunden verspätet, aber schon von der Last der anderen gedrückt, das schwarze strampelt, versucht loszukommen, es fallen die nächsten Schalen und Küken darüber, danach die Ramme. Sie hebt sich und fällt nieder, zerstampft alles zu Brei – hochwertiges, eiweißgesättigtes Futter. Die vollen Behälter auf dem Hof, in dem Schrot zuckt es – schwache Bewegungen der noch nicht ganz toten Kükenreste. Unter dem Schrot erscheint etwas Schwarzes, das schwarze Küken kämpft sich durch die Leichen und zerdrückten Eierschalen, kommt hoch, unversehrt, strampelt sich los und läuft.

Ich habe heute die Katze ausgesetzt. Ich habe sie an einem Waldrain, zum Feld hin, verlassen, ich rannte davon, damit sie mich nicht einholt. Es war der liebste Kater, den ich je hatte, er heulte und miaute und lief mir nach, ich habe ihn abgehängt. Danach Seitenstechen, und die Hüfte. Ich habe Katzen nie kastrieren lassen, ich habe sie vertragen, wenn sie zu träge, zu anhänglich wurden, sie sollen verwildern, Wühlmäuse fangen, notfalls auch Sperlinge – falls sie sie kriegen, sich mit anderen Katzen anlegen, vielleicht auch mit Füchsen. Er soll sich verlaufen.

Ein Film über die holländischen Geiseln, die zwölf Tage von den Molukkern im Zug festgehalten wurden, in Frost, Hunger, Todesangst. Nach der Freilassung besuchten viele von ihnen die Molukker im Gefängnis und setzten sich für ihre Forderungen ein. Ein Mann geht seitdem regelmäßig mit seiner Frau zu ihren Festen und versucht, mit ihnen zu feiern. Andere haben es bis heute nicht überwunden, sie sind für Augenblicke immer noch Geiseln.

Ein fünfzigjähriger Zeitungsredakteur aus Groningen schildert die Strapazen, dann sagt er zu seiner Frau, die bei dem Interview neben ihm sitzt, daß es auch schön war. »Ich habe zwölf Tage lang nichts getan, wofür ich mich hätte schämen müssen.«

» ... oder Beweis dessen, daß es unmöglich ist zu leben« – Kafkas ›Belustigungen‹. Ich bereite mich für das Seminar am nächsten Tag vor.

Ich werde eine Karte der Stadt an die Wand projizieren und die wichtigsten Orte zeigen, die mit Kafkas Biographie und mit seinen Texten zusammenhängen: die wechselnden Wohnsitze der Familie, Kafkas Anstellungsstätten, seine gescheiterten Versuche, allein zu wohnen, die Wege, die er unternahm, um sich in der weiteren, tschechischen Umgebung auszukennen.

Er blieb in dem kleinen Stadtquadranten gefangen. Über seine Grenzen, im eigentlichen Sinne aus der Stadt, ist er nicht hinausgekommen; nur der letzte Ausflug glückte und endete in Kierling.

Ich werde diesen Bereich auf dem Stadtplan markieren; ich werde über Kafkas Zugehörigkeiten mutmaßen.

Die ›Beschreibung eines Kampfes‹ spielt vor der Karlsbrücke und in den anliegenden Gassen, Straßen sind benannt, der nächtliche Spaziergang des Erzählers mit seinem neuen Bekannten auf den Laurenziberg – Petřín – ist von Station zu Station kenntlich.

In der gleichen, weiterhin anonym gehaltenen Landschaft vollziehen sich auch andere Projekte Kafkas: der Fluß, die Brücke, die Anhöhe jenseits auf der anderen Seite des Flusses – der Weg Josef K.s mit den zwei reinlichen Herren zu dem Steinbruch, wo sie ihm das Messer im Herz umdrehen, läßt sich verfolgen, auch ohne Straßennamen, wie in Kafkas erster Erzählung.

Über dieselbe Brücke wurde ein anderer Josef eines anderen Pragers, Kafkas Zeitgenossen, von zwei Amtspersonen geführt. Die Begegnung zwischen Josef K. und Josef Švejk auf der Karlsbrücke spielt in einer anderen Realität, außerhalb der gegebenen literarischen Konstellation – angebahnt möglicherweise in einem verrauchten Lokal, wo Kafka amüsiert den skurrilen politischen Reden Hašeks zuhört –, wo in einem Übereinkommen der Dichter die Hauptgestalten zu Statisten werden dürfen und ihre Rollen den begleitenden Schergen zufallen; Švejk und Josef K. sind dann frei von dem ihnen zugedachten Plan.

Wenn diese »rectification of literary fates« greifen würde – wie es sich Stoppard und anders auch Borges gedacht haben –, könnte ich mich mit etwas Handfesterem beschäftigen.

»Die Logik ist zwar unerschütterlich, aber einem Menschen, der leben will, widersteht sie nicht.« Welcher Lebenswille? Der Satz ist schön, aber in diesem verlassenen Steinbruch, wo K. stirbt – *wie ein Hund,* ist er unwahr.

Ich friere; ich spüre, wie mich Angst in die durchsichtigen Finger nimmt.

Ich werde herausgerissen durchs Telefonklingeln.
Ja, sie hetzen mich.

Bevor ich darüber nachdenke, was ich jetzt tun will, stehe ich schon auf und gehe an den Apparat, bedacht nur darauf, daß das schrille Klingeln aufhört, eigentlich, daß ich eine fremde Mühe und ein Warten abkürze, als wäre die Lautstärke ein Signal für Dringlichkeit und die Zeit des anderen kostbarer als meine.

Ich habe es mit Selbstverrat immer eilig.

Ich nehme den Hörer ab und sage meinen Namen: Pallas.

Ein hörbares Stocken am anderen Ende, dann eine ärgerliche männliche Stimme: wer? Ich gebe noch mehr Auskunft: Francine Pallas.

Der Mann hängt ohne ein Wort auf.

Ich komme in meine Arbeit nicht mehr hinein, ich sitze wütend da und durchlaufe im Geiste die Möglichkeiten, zurückzuschlagen, die mir jetzt einfallen; ich hoffe, daß sich der Mann noch einmal verwählt.

Auf diese Weise werde ich in der Realität zurechtgewiesen.

Ich esse hastig, gedankenlos die Reste vom Abendessen auf, die auf dem Küchentisch stehengeblieben sind, dann noch einen Joghurt. Mit schwerem Magen gehe ich schlafen.

Der Portugiese hinter der Wand hustet jede Nacht.

Manchmal höre ich ihn erst gegen Morgen, manchmal reißt sein Husten in meinen ersten, tiefen Schlaf, weckt mich auf und implodiert in meinen Ohren mit kurzen, trockenen Schüssen, die sich beschleunigen und nach einer Konvulsion von Würgen, Räuspern, Ausspucken abbrechen.

Es klingt nach Einsamkeit und rücksichtsloser Not, die mich zuverlässig aus dem Schlaf holt und mein Wachen fordert.

Vorm Schlafengehen höre ich das Husten nie, als wäre die Lunge des Mannes an den Lichtschalter gekoppelt, sein Atmen mit meinem Wachsein leichter, wenn beides ausgeschaltet ist, nimmt die Dysfunktion, die Verklemmung seiner Atemwege überhand, wird der Verschleiß dieses Arbeiters hörbar.

Die Dunkelheit und die poröse Wand leiten Geräusche gut; ich liege an dieser Trennwand auf meinem niedrigen Bett ohne Gestell, auf Rost und Matratze, das Husten prasselt auf mich in kurzen Intervallen und löst bei mir Schuldgefühl aus, Ekel, eigene Anfälligkeit.

Ich huste nicht, ich habe keine Entschuldigung für das lauthalsige Ausschleimen, bei dem sich mir der Magen dreht. Freuds Expektorieren auf der Haustreppe vor der Putzfrau in der ›Traumdeutung‹ stößt mich mehr ab als seine theoretische Anmaßung in bezug auf Frauen.

Dann meldet sich meine Hüfte. Der Schmerz im Gelenk pulst gegen die Hustenstöße von nebenan. Ihr Lärm übertönt meine Schmerzen zunächst, aus dem Schlaf herausgerissen orientiere ich mich nicht sofort, aber in den Pausen, die in den Hustenanfällen gelassen sind, erkenne ich sie wieder.

Tagsüber vergesse ich sie manchmal, aber in der Dunkelheit, in Ruhe ausgestreckt spüre ich, wie sich der vergangene Tag, jeder einzelne Konflikt in diesem Punkt sammelt – seit einem nicht mehr feststellbaren Tag, seit meiner Ankunft hier.

Nach Jahren erkannte ich meine eigene, beinah vergessene Verblüffung wieder, als sich Geneviève verwundert auf den Straßen umsah und in ihrem eigenwilligen Englisch sagte: »There are so many *crippens* in Germany! How is it possible?«

Ich weiß es jetzt, ich gehöre auch schon dazu.

Ich habe mich angepaßt, ich kann manchmal vor Schmerzen kaum gehen.

Es ist nur eine springende Sehne, sagen die Ärzte, eine falsche Anspannung im Hüftgelenk. Andere finden nichts, aber ich kann auf dem Bein das Gleichgewicht nicht halten, und der Knochen ruckt beim Gehen.

Es ist auch ein Lusthemmnis.

Das sporadisch *ineinander greifende Triebwerk der Liebe* rastet manchmal aus; das ist meine Hüfte, vom Tag her beschädigt. Dann nimmt mich mein Gegner in die Hände, hebt mich unter sich seitwärts hoch und versucht, ohne Trennung, unsere Körper zu drehen. Die polaren Lagen sind beide ungünstig, gleich schmerzhaft; entweder liege ich beschwert und kann nicht atmen, wobei die Hüfte flach gepreßt wird und ruht. Oder ich bin die Last, dann zucken meine invertierten Organe unter spitzem Schmerz zurück, und in der Hüfte zerrt es von der ausgestellten Lage.

Es bleiben die Seitwärtslagen, kindliches Anwinkeln; die Hüfte knackt leiser.

Die beiden Partner haben jeder eine unterschiedliche Art, mich zu schonen. Der eine ist weicher, schwerer, heftiger, die Hüfte spüre ich erst später, aber stärker. Der andere ist sehr bewußt, sehr auf mein Befinden bedacht, verkrampfter, mir wichtiger, bei ihm ist der Schmerz eine Begleiterscheinung, aber verteilt, und hält sich in Grenzen, hält sich in Grenzen seit Jahren, seit Jahren dauert er an.

Dieser Partner ist mein Mann.

In der Wohnung über mir wohnt eine alte Frau aus Schlesien. Unten wohnt ein junges Paar, das das Wohnen genießt, immer neue günstig erworbene Möbelstücke abhobelt, schmirgelt, die Holzmaserung unter dem alten Lack aufdeckt und in der offenstehenden Wohnung ausstellt. Mit einem sicheren Gespür für Besitz, für Nutzungsrechte, stellen sie ihre Sachen auf dem Flur ab und lassen eingeworfene Reklamezettel und Anzeigen im Windfang liegen. Sie verwenden Aufkleber; auf ihren Rädern im Hausflur steht »Auto? nein, danke«, auf ihrem Auto steht »AKW? nein, danke«.

Auf der anderen Seite der Straße, ein paar Häuser weiter wohnt eine türkische Albino-Familie. Die Kinder haben rötlich helles Haar, unterscheiden sich aber deutlich von den einheimischen. Die Jungen haben kurzgeschorene breite Schädel mit einem abgeflachten Hinterkopf, was durch den Kurzschnitt auffällt, kleine, angespannte Gesichter, Züge von Erwachsenen. Sie sind nicht niedlich.

Die Mädchen – für ihr Alter wenig beweglich, verschlafen, mit verhülltem Haar, die kleinen Kinder sinnlos hin und her zerrend – werden von den Jungen, auch jüngeren, gepiesackt.

Die Kinder gehen nie einzeln auf die Straße, und sie spielen unter sich. Die einzige Anpassung an die Umgebung sind die Brillen, die drei von ihnen tragen.

Vor Jahren in Südböhmen fuhr ich mit einem jungen Eisenbahner, der Albino war und noch zwei Geschwister hatte, eine Schwester und einen Bruder, auch Albinos und ebenfalls bei der Eisenbahn. Sie waren Drillinge. Die Brüder bewachten die Schwester, wenn sie tanzen ging, ihre Aufforderer mußten sich erst mit ihnen anlegen. Wenn sich die Brüder in den Haaren lagen, sprang die Schwester dazwischen und rief, dann könnt ihr mich gleich mitschlagen. Danach war Ruhe. Sie hatten keine Eltern, der Vater war unbekannt – »ich bin sicher, daß es so ein mieser kleiner Sudete war« –, waren bei der Großmutter aufgewachsen, und wenn sie gemeinsam von der Schicht nach Hause kamen, sah sie zum Fenster hinaus und sagte, da kommen meine Eisenbahner.

Er erzählte, daß er als Kind häufig Wutanfälle hatte, einmal jagte er seinen alten Großvater atemlos auf einen Hügel, beschimpfte ihn und bewarf ihn mit Steinen, er stellte sich vor, daß es sein Vater wäre.

Die türkischen Frauen sitzen im Sommer verhüllt auf der Haustreppe und zupfen an großen Batzen roher Baumwolle, kleine Klumpen wehen durch die Straße, wenn es vom Fluß her zieht, verfangen sich in den Zaungittern, Katzen jagen ihnen nach und die Kinder bewerfen sich damit, ohne zu treffen.

Wenn ich mein Rad an der Transformatorsäule vorm Haus abstelle, die wie eine Litfaßsäule aussieht und verbotenerweise mit Plakaten privater Initiativen und halblegaler Linker beklebt ist – im Hausflur ist kein Platz mehr –, merke ich von oben, aus der Wohnung gegenüber einladende Blicke, ein leichtes, abwartendes Kopfnicken als Vorspann zu einem längeren Grußverhältnis. Die ältere Frau hinter der Gardine sucht gelegentlich einen Kontakt, wenn sie das Fortschreiten der Müllabfuhr die Straße aufwärts verfolgt und auf ihren geleerten Eimer wartet, wenn sie den Briefträger abfängt, der auf ihrer Straßenseite die Post erst eine dreiviertel Stunde später einwirft.

Ich gehe auf diese Aufforderung zu grüßen, sich zu kennen, nicht ein, weil ich es nicht beliebig abbrechen kann, ich müßte dann immer grüßen, wenn sie mich lächelnd, abwartend anschaut.

In Göttingen grüßten mich die Insassen des Landeskrankenhauses am Ende des Viertels. Sie grüßten eifrig, unter einem Zwang, den ich kannte – seit meiner Kindheit: »Grüß doch, wer denkst du, daß du bist« –, seit ich versuchte herauszufinden, wer ich bin. Ich war die, die grüßen sollte; auch die Jüngeren im Haus. Ich wartete immer hinter der Wohnungstür ab, bis das Treppenhaus frei war, bis die Leute, die ich sofort grüßen würde, weggegangen waren, ich hatte keine Möglichkeit, meine Beflissenheit zu überwinden.

Ich traf sie nachher doch, an den Briefkästen unten oder vor dem Haus im Gespräch mit einem Nachbarn festgehalten – auch sie waren nicht frei –, aber ich war immer etwas eiliger, erzogener, ich hielt die Spannung des Abwartens, wer zuerst grüßt, nicht aus.

Wäre ich blind gewesen, mit gelber Armbinde, fünf schwarze Punkte – vollblind, mit weißem Stock zum Tappen, hätte ich nicht zu grüßen brauchen: – ich sehe euch nicht. Aber ich bin sicher, ich hätte auch dann als erste gegrüßt, ich hätte sie wieder eher gehört.

Die Irren nahmen mir diese Pflicht ab, – sie kamen mir zuvor. Ich war fast dankbar, jemanden zu finden, der sich nicht messen wollte. Sie grüßten mit einer Freude, als hätten sie mich erkannt. Bereits als ich zum erstenmal vorbeiging, wußte ich, daß sie mich sahen und warteten, wann ich die grußfreie Ferne unterschreite, wann ich aufschaue und sie ansehe. Sie grüßten laut, ich grüßte laut zurück, mit überdeutlicher Mimik, damit sie meiner Antwort sicher sein konnten.

Mit einem Kopfnicken, einem leichteren Gruß wäre es nicht getan gewesen; sie mußten vernehmbar gegrüßt werden, sie hatten eine eingebüßte Würde wieder herzustellen, sie waren Höflichkeit anderer nicht gewohnt, nur eine übertriebene Form konnte genügen.

In der ganzen Auffälligkeit, an der ich beteiligt war, lag noch eine andere Bedeutung: Vielleicht wollten sie mit dem Gruß etwas Eigenes mitteilen; vielleicht meinten sie, was sie sagten – wie der Junge in de Sicas ›Miracolo a Milano‹, der aus dem Waisenhaus entlassen wird und alle Leute auf der Straße grüßt, bis ein Mann ihn anschnauzt »Kennst du mich? – Nein. – Warum grüßt du dann? – Aber ich wünsche Ihnen wirklich einen guten Tag.«

Ernst gemeinte Grüße gibt es hier nicht, nur ihre phatische Funktion – das Zeichen der Anwesenheit, der Mindestzustimmung – wird gegeben.

Ich grüße in dieser Straße niemanden.

2

Die Studenten sitzen verstreut da, – etwa fünfzehn, sie haben sich wieder nach hinten gesetzt. Es ist noch keine sichere Anzahl, es kommen weitere, mit schwappenden Kaffeebechern, einige bereits auf das Seminar eingestellt. Bevor sie sich nach hinten setzen können, sage ich »Kommen Sie bitte nach vorn und die anderen auch« und gebe die gewöhnliche Erklärung. Es ist eine Großraumzone im Parterre des Hauptgebäudes, mit verstellbaren Trennwänden, eingerichtet für ein Dutzend paralleler Veranstaltungen, und die Akustik ist sehr schlecht.

Ich bin Lehrbeauftragte mit sechs Wochenstunden, ich kenne von den anderen, die hier zur gleichen Zeit unterrichten, keinen, und wenn ich mich an den Raumbeauftragten wende, ist er sehr freundlich und duzt mich gleich wie alle hier, aber einen Raum zu dieser Zeit hat er nicht: Es ist Montag, 10.15 Uhr. Die Studenten proben das Hereinkommen, unkoordiniert, sie kommen – *wie die Schaben zum Bier,* ich habe sie aber nicht so gern, um ihnen dieses Bild zu geben.

Vor halb elf fangen wir selten an.

Die meisten Studenten kommen immer wieder, auch wenn es darunter einige gibt, die noch kein Wort freiwillig gesagt haben. Gegen Semesterende erscheinen auch neue, die am Ausgang sitzen bleiben, ohne Text, ohne Notizen, nicht am Stoff interessiert, sondern auf der Suche nach einem Prüfer.

Ab und zu steht ein Teilnehmer mitten in der Arbeit auf und geht ohne ein Wort oder eine Verständigungsgeste hinaus. Später kommt er mit einer Dose Cola, mit Kaffee, Kuchen, Frikadelle, Apfel, Joghurt, was es gerade in der Cafeteria gibt, wieder. Er nimmt seine

Aufzeichnungen, seine Aufmerksamkeit dort auf, wo er vorhin aufgehört hat, ohne ein Zeichen, daß er einen Anschluß sucht oder überhaupt einen Zusammenhang vermißt.

Nicht alle Hochschullehrer duzen die Studenten leicht. Bei den Prüfungen bleibt das »Sie« vor den Beisitzern die vereinbarte Form; bis zum Erscheinen der auswärtigen Bewerter gibt es kaum eine Note unter Zwei. Am Anfang meiner Lehrbeauftragten-Zeit schickte mir ein Student den mit Drei benoteten Schein zur Verbesserung zurück, mit dem Hinweis, daß diese Zensur für ihn ohne Nutzen sei.

In den Semesterferien kurieren die Dozenten ihre Bandscheibenschäden, Magengeschwüre, Furunkulosen; die Beschwerden setzen regelmäßig nach der letzten Veranstaltung ein. Erkrankungen während des Semesters wirken unkollegial.

Meine Seminare sind eine Ergänzung zu dem gängigen Projektstudium; ursprünglich waren sie für Interessierte gedacht, nicht für Studenten in Beleg-Not.

Im Donnerstag-Seminar ›Arno Schmidt – Kritik durch Witz‹ gibt es einen Studenten, der wahrscheinlich keinen Schein mehr benötigt. Er ist im 16. Semester und alle vierzehn Tage beteiligt er sich, indem er Arno Schmidt aus der Sekundärliteratur kritisiert, das allgemeine Mißfallen an Schmidts Goethepreis-Rede hat ihn ermutigt. In den ungeraden Wochen, wo sein Diplomvater abwesend ist, sitzt er nur da und belastet die Jüngeren mit seiner Anwesenheit. Der Dozent kommt alle zwei Wochen; falls er an Arno Schmidt interessiert ist, tut er wenig; falls es ihm um seinen Studenten geht, sollte er die Sprechstunde anderswohin verlegen.

Das Kafka-Seminar am Montag besucht unregelmäßig eine Frau aus einem anderen Fachbereich, Soziologin oder Pädagogin; sie kommt verspätet herein und nickt mir lächelnd zu, wenn sie kurz vor dem Ende geht. Die Hochschullehrerinnen haben häufig etwas Gehetztes, ihre männlichen Kollegen wirken dagegen verschlafen und scheu.

Heute ist sie nicht gekommen.

Beim prager Stadtplan belebt sich das Seminar, da ich bei der Projektion Schwierigkeiten habe, zu begreifen, daß der Fluß nordwärts fließt, und die Himmelsrichtungen verwechsle. Beim zweiten Mal orientieren sich die Studenten bereits und korrigieren mich, wodurch ihr Interesse an den Texten steigt. Sie hoffen auf weitere Verwirrungen dieser Art, mit Literatur wird es mir aber nicht passieren.

Ich denke daran, daß alles bereits beschrieben wurde.

Vielleicht hatte auch Vita Sackville-West über das Unvermögen, Nordwärtsläufe von Flüssen zu verstehen, das ihr eigen war, in einer alten Geschichte gelesen – lange bevor Virginia Woolf sie in ›Orlando‹ so charakterisiert hat.

Mein Leben ist eine Abfolge von Literatur- und Filmszenen, willkürliche Zitate, die ich nicht immer gleich einordnen kann. Manchmal denke ich, daß ich die unerkannten, mit Literatur nicht resonierenden Stellen aufschreiben müßte, – auf die Gefahr hin, daß es dann eine bestimmte Art Langeweile oder Verzweiflung doppelt gibt, wenn sich das fiktive Pendant dazu nachträglich findet.

Sie ging oft ans Flußufer, kaute vergeßlich an der restlichen Rinde des Brots, das sie für die Enten mitgebracht hatte; auf ihrem Küchentisch mehrten sich entrindete Schnitten, sie aß nur die Rinde, wenn es zu viele wurden, nahm sie die Scheiben mit. Sie sah den Fluß fast täglich, sie kannte die Sandbänke, die bei Ebbe den Strom teilten, suchte nach den Haubentauchern, Kiebitzen und Reihern an den Uferteichen, beobachtete die flüchtigen Krähen und Möwen, eine Dohle, hörte ihre Schreie, den scheppernden, metallenen Ruf der Fasanen.

Auf der anderen Seite zogen sich die Viehweiden, durch Stacheldrähte zerstört, bis zum Horizont, endeten an den kahlen Lagerhäusern einer Fabrik und an den Aufschüttungen und Transportbändern einer Kiesgrube.

Eine andere Landschaft:

Sie ging meist mit dem Hund spazieren, manchmal mit Freunden. Auf den Uferwiesen blieb sie oft zurück, um Blumen zu pflücken, es verlieh ihr etwas Jungfräuliches, Entrücktes – eine Haltung, die ihre Sprödigkeit betonte, die anderen in Distanz hielt –, noch nie hatte jemand so traurig dreingesehen. Nach vorn gebeugt, mit einem dürren, langstengligen Strauß auf dem Arm, als bilde sie mit dem trüben Fluß ein Stilleben in der vernebelten Sonne – nature morte.

Als eine Bombe die Uferböschung zerstört hatte, ergoß sich der Fluß bis zu den Grenzen ihres Gartens, und die Wasservögel zogen mit. Sie saß am Fenster ihres Gartenhauses und beobachtete das Wasser. Manchmal schüttelte sie sich – eine Unmutsgeste, die auf Ungeduld, auf Konzentrationsschwierigkeiten beim Schreiben hindeuten konnte. Es gab noch Besucher, die das verzehrend erstickte, eulenhafte Lachen von ihr gehört hatten, aber der Lärm der tieffliegenden Flugzeuge, die Detonationen, die Sirenenalarme wurden immer häufiger, zuletzt auch die Stimmen, die sie bereits kannte.

Sie hatte sich gegen Scheitern abgesichert. Am Ufer der Ouse zwängte sie einen großen Stein in ihre Manteltasche, ihren Stock ließ sie zurück.

Ich schmecke die Brotrinde; ich hätte keinen Brief zu hinterlassen.

In der Cafeteria suche ich nach einem Platz, an dem ich meine Sachen hinlegen kann, vielleicht auch lassen; ich habe kein Zimmer, wo ich mich zwischen den Seminaren aufhalten kann.

Bei den Chilenen ist noch ein Tisch frei; sie sitzen meist in einer Ecke und verbringen hier ihre Vormittage und die Nachmittage, über Mittag sind sie in der Mensa. Nach vier Uhr, wenn der Kiosk geschlossen wird und nur noch die Automaten im Betrieb sind, wird es hier leer.

Die gewartet haben, gehen in die politischen Veranstaltungen nach 18 Uhr, regelmäßig auch in die Folk-Konzerte und zu Demonstrationen, wo sie sich solidarisieren können.

Es sind Reisende der Revolution, mit dem schwindenden Nimbus politisch nicht mehr Verfolgter, schon aufgrund ihrer mangelnden Sprachkenntnisse hier unterbeschäftigt. Sie werden von ihren Frauen gehalten, das merken sie nicht.

Die Gruppe wirkt heiter, sie haben kleine schöne Kinder dabei, die Frauen sind schön. Sie sind ihren Männern gefolgt und fühlen sich hier fremd. Sie machen keine überflüssigen Bewegungen, wissen von den Kindern ohne Aufwand, rennen ihnen nicht nach, während die Männer immer andere treffen, Hände schütteln, auf Schultern klopfen, Zigaretten ausleihen, die Kinder unnütz rufen, den Frauen durch die Haare fahren, worauf die Frauen gutmütig auflachen.

Ich bin froh, daß ich hier keine Tschechen zusammensitzen sehe, mit ihrer konformen Bier-Obösität, der lärmenden Kumpelhaftigkeit, der koketten Fatalität habitueller Verlierer, der immer am leichtesten Aufgegebenen, Zugeteilten – in München, in Jalta, 1968.

Ich bin froh, daß es hier keine tschechischen Gastarbeiter gibt, qualifiziert, unterbezahlt, und auch noch schlau, weil sie Westgeld verdienen.

Ich packe meine Sachen und gehe den nächsten Seminarraum suchen; diesmal ein richtiges Zimmer, aber für die Veranstaltung ›Frauenliteratur‹ zu klein. Einige Studentinnen, die in der Cafeteria die Pause absaßen, stehen mit mir auf.

Ich mache einen Umweg an meinem Postfach vorbei, das ich seit vierzehn Tagen nicht geleert habe. Zwischen Asta-Aufrufen, Bekanntmachungen und Mahnungen der Bibliothek finde ich einen Zettel von der Frau, die ich ein paarmal in meinem Kafka-Seminar gesehen habe. Sie möchte mich wegen eines gemeinsamen Projekts sprechen, ich soll einen Termin vorschlagen. Sie ist Behindertenpädagogin. (Von dem Dozenten, der alle vierzehn Tage, ohne zu fragen meine Seminare frequentiert, ist keine Nachricht da, ich weiß bis heute nicht, ob er Arno Schmidt gelesen hat.) Ich überlege, daß meine Kontakte mit Frauen hier mit einem gewissen Irrtum behaftet sind. Behinderungen als literarisches Thema sind allerdings das Projekt, das mich reizt.

Der gewisse Irrtum hat sich in meiner Frauenveranstaltung über zwei Semester hindurch bereits zu einer massiven Irritation ausgewachsen, von der aber keine Seite bisher ablassen kann.

Beteiligt sind vierzig Frauen – für mehr ist kein Platz, und ich suche auch keinen größeren Raum für sie –, und es stricken davon sieben nicht; am Anfang war das Verhältnis umgekehrt. Eine Kollegin aus der Erwachsenenbildung hat diesem Phänomen eine Studie gewidmet: ›Häkeln und Hegeln‹; auch das Hegelsche Paradigma von Herr und Knecht wird darin bemüht.

Die Meinung eines Mannes (Fach – Geschichte der Arbeiterbewegung): Mit der gebührenden Konformität versucht er, es positiv zu sehen, als Bedarf nach Ausdruck, nach motorischer Abreaktion; die Frauen können sich endlich in den Veranstaltungen lockern, die Geste des Aufwickelns, das weite Ausholen verschaffen Luft, und die Nadeln sind ja auch eine Waffe, – sie fühlen sich damit in dem universitären Betrieb sicherer.

Also eine Befreiung – wenn das alles ist, waren meine Seminare umsonst.

Dabei bewundere ich die dicken Pullover und die Farben und beneide die Frauen, die sie nach ihren Vorstellungen tragen können.

Die strickenden Frauen sind von selbstverständlicher Häuslichkeit. Sie sitzen mit ihren Kindern da, die in meinen Seminaren besonders verschmierte, gerötete Gesichter, besonders klebrige, raffige Händchen haben und mit Routine die ohnehin spärlichen Notizen der Anwesenden verschmieren, besabbern, in Fetzen reißen, durch den Raum verschleppen, *alle strategisch wichtigen Punkte besetzt halten.* Die Frauen sehen ihnen gerne zu, sie warten, daß ich einen Fehler mache.

Das Thema ist: »Die Bedingungen der literarischen Produktion«. Als Grundtext ist Virginia Woolfs ›A Room of One's Own‹ vereinbart, dazu habe ich ihnen noch eine Studie von Susan Sontag fotokopiert. Etwa ein Drittel der Frauen haben sich das Buch besorgt, haben es aber nicht gelesen. Mehrere haben auch den kopierten Text nicht mitgebracht und fragen, ob ich noch eine Kopie hätte, die meisten blättern darin erst jetzt.

Ich habe durch die Kopien meinen Etat für dieses Semester ausgeschöpft, habe auch keine übrig und erwarte, daß zumindest die Texte, die sie in die Hand gedrückt bekommen, gelesen werden. Die Frau, zu der ich es sage, erklärt erst einmal, daß sie überhaupt zu wenig Zeit zum Lesen hätte, daß sie die Veranstaltung neben ihrem Hauptstudium mitmache, daß sie eigentlich gehofft hat, daß wir hier als Frauen auch über unsere Probleme sprechen werden, nicht nur immer über Literatur, die zwar sehr wichtig sei, das sehe sie schon ein, aber verglichen mit den Schwierigkeiten unserer Sozialisation, unserer Doppelrolle als Mütter und gleichzeitig als Studentinnen keinen so hohen Stellenwert haben könne.

Die Frau ist älter als ich, mehrfache Mutter, durchdrungen von praktischer Emanzipation.

Ich staune immer wieder, wie wenig resistent gegen Jargon sie sind. Andere schließen sich ihr an, auch die, die keine Kinder haben, sie haben dieses Umfunktionieren von der ersten Stunde an im Sinn gehabt, und ich habe zunehmend Mühe, die Versammlung als literarisches Seminar zu behaupten.

Am Anfang sagte ein Dozent lächelnd zu mir: Sie werden es schwer haben. Wenn er mich gelegentlich fragt – aufmunternd, als wäre ich eine Anfängerin: Na, wie läuft's?, lächle ich zurück: Bestens!

Gegen Mütter habe ich keine Chance.

Ich kann zwingend argumentieren, sie hören nicht zu. Als hätten sie mich bereits in ihrem fürsorglichen Griff, mit dem sie mich an der dünnen Schulter fassen – »ißt du auch mal was Warmes, oder immer nur Joghurt und Tee?«

Riva auf Femø: Sie war ihrer Tochter nachgereist, sie wollte sie verstehen, wollte sehen, wie es ist, wenn Frauen zusammenleben. Sie sahen sich kaum, wohnten in getrennten Zelten, die Tochter ging mit einer anderen Frau umschlungen, sie winkten sich beim Essen zu, lächelten sich an, als kennten sie sich nur entfernt, als hätten sie nicht viel Gemeinsames, aber Riva hatte eine lange, gerötete Narbe, die in ihren Bauch tief einschnitt, und ich war auf die Tochter eifersüchtig; ich träumte davon, meinen Kopf einmal auf den weichen, verunstalteten Bauch zu legen.

Ich schlage wiederholt vor, daß diejenigen, die eine Selbsterfahrungsgruppe gründen wollen, es außerhalb dieser Veranstaltung tun und das Seminar verlassen, da es offensichtlich ihren Erwartungen nicht entspricht. Darauf reagieren sie meist nicht.

Ich bin die Autorität, gegen die sie sich gerade erfolgreich gewehrt haben, ich liefere ihnen, da kein Mann anwesend ist, das Feind-Bild, sie möchten darauf nicht verzichten. Eine selbständige Veranstaltung wäre mangels Kritikgelegenheit für sie uninteressant.

Eine andere Fraktion, darunter der harte Kern der lesbischen Frauen, nimmt die Diskussionen über das Seminarkonzept zum Vorwand, gegen die Mütter loszulegen. Vorläufig lesen sie noch und arbeiten mit, machen aber immer neue Lesevorschläge, bei denen die Thematik vor der literarischen Qualität steht – militante Pamphlete, Gerichtsberichte über verurteilte homosexuelle Frauen oder neue Frauendichtung – Versenkungen in die weibliche Anatomie.

Da sie immerhin lesen, gibt es noch Anhaltspunkte zum Weitermachen; falls sich die andere Gruppe doch abspaltet, werden sie mich in ihre Ecke ziehen.

Außerdem gibt es noch einige, die hoffen, bei mir eine Prüfung machen zu können, und die mich von Veranstaltung zu Veranstaltung begleiten und begukken; sie sind fleißig, aber ich prüfe ungern.

Es bricht der übliche Streit aus. Ich hatte erwartet, daß ihnen die Widersprüche im Text von Virginia Woolf auffallen würden. – Eine Frau, die die Gewohnheit hat, durch London zu flanieren, in Ruhe um sich zu schauen und die alltägliche Hektik – die Kohlenschlepper, die heiseren Männer mit Blumenkarren – zu registrieren, beklagt die Unterprivilegiertheit ihres eigenen Geschlechts.

Welche Vorrechte mußte sie genießen, um ihren Vergleich ziehen zu können, um ihre besonderen Ansprüche zu stellen. Und wenn sie schon vom Niveau der upper class aus recherchiert – was bedeutet der Plauderton, die ausschweifende Konversation, durch die ihre Argumente entschärft sind und niemanden meinen können?

Von Katherine Mansfield bemerkte sie, daß sie wie eine Zibethkatze stinke.

Katherine Mansfield, die sich vor ihr sozial unsicher fühlte, aber nicht als Schriftstellerin, urteilte wesentlich kultivierter: »Wir hatten geglaubt, daß diese Welt für immer untergegangen sei, und es für unmöglich gehalten, auf dem weiten Ozean der Literatur einem Schiff zu begegnen, das davon nichts wußte ... Inmitten unserer Bewunderung kommen wir uns plötzlich alt vor und frösteln. Wir hatten nicht geglaubt, dergleichen noch einmal zu sehen.«

Virginia Woolf gerät das Elend auf den Straßen Londons zum Stadtkolorit. Sie spricht von der Ungerechtigkeit der Frauenausbildung, von ihrer ökonomischen Abhängigkeit und ist gleichzeitig von Kindheit an gewöhnt, Hauspersonal zu haben; bis zuletzt hatte sie zwei weibliche Bedienstete.

Wir hätten darüber sprechen müssen, ob die geforderten 500 Pfund jährlich und ein eigenes Zimmer für sie selbst bereits zum Schreiben ausreichten. Und welche anderen Bedingungen hätten erfüllt werden müssen, um sie vor Depressionen, vor Zweifeln zu schützen – vor ihrem Selbstmord in der Ouse: Ihr Wahn macht sie für die Frauenbewegung überzeugender als ihr harmloses Pamphlet.

Das wissen die Frauen nicht, sie fragen auch nicht danach. Sie sind gekommen, um zwei Stunden lang Spannung zu haben, um sich an mir zu stoßen.

Ich sage zu einer von der Mütter-Partei, daß ihre Argumente nicht verfangen, solange sie den Text nicht gelesen hat. Daraufhin schreit sie mich an: »Ich lasse mich von dir nicht kastrieren!«

Ich sehe ihre ausgerupften Augenbrauen, die Mühe für eine betonte Weiblichkeit. Ich habe plötzlich keine Lust mehr. Wie fast jedesmal ist wieder der Punkt da, wo ich alles hinschmeißen möchte.

Ich kenne schon die Fortsetzung. Am Ende des Semesters werden sie aktiv, legen eine Kompilation vor, zu viert unterschrieben, weil alle einen Schein brauchen – ich lehne eine Bewertung ab und begründe es schriftlich, damit sie etwas für das schwarze Brett haben, für ihren Boykott, für ihre Versammlungen, Resolutionen. Eine Woche ist Stille, es geschieht nichts, keine Unterschriften, dann fangen sie an, mich zu grüßen – nicht wieder, überhaupt zum erstenmal. Nach den Semesterferien sitzen sie wieder bei mir.

Ich habe es satt, angestrickt zu werden, von plärrenden Kindern gestört, bis zur Heiserkeit immer das gleiche wiederholen zu müssen, für ihre Aggressionen herzuhalten.

Ich hinke nach Hause. Die zwei fortgeschrittenen Arno-Schmidt-Opponenten, Griefe und Hunter, verschwinden gerade vor mir in der Toilette.

3

Ein Traum von meiner Schwester, die hierher kam und mir alles wegnahm. Ein Auge, auf dem Augapfel ein Schmetterling, ein palpitierender großer Admiral. Das Augenlid zuckt zusammen, flattert, aber der Schmetterling haftet mit allen sechs Beinen auf der feuchten Oberfläche und fliegt nicht fort.

Das Gesicht einer alten Frau, die Haut bläßlich, unter den Augen kleine braune Flecken. Es ist die Frau von gegenüber, die auf meinen Gruß wartet; sie lehnt aus dem Fenster und ruft in die Straße hinaus: Er zerfrißt mir das Auge!

In einer Halbtotalen sehe ich die andere Straßenseite und mich vor dem Haus stehen, nach oben schauend. Ich will sofort hinauflaufen und der Frau helfen, aber meine Schwester kommt gerade die Straße entlang.

Sie sagt, daß man das mit einem Stück Fleisch, am besten Kalbfleisch, aus dem Auge abstreift; das Insekt wird angesaugt von der klebrigen Feuchtigkeit des Muskels, ein Finger oder ein Tuchzipfel wären zu trocken und könnten das geätzte Auge verletzen, es muß eine ähnliche Konsistenz wie die Augenoberfläche sein, aber nicht so glitschig, damit das Insekt besser haftet. Sie geht einkaufen.

Ich habe der Frau signalisiert, daß Hilfe kommt – »meine Schwester ist Ärztin«, nun geht sie ihr nach, mit einem weißen Tuch auf dem Kopf, das sie wegen der Augenverletzung umgebunden hat, unbeholfen um sich tappend macht sie auf ihre Verletzung aufmerksam.

Meine Schwester hat es nicht eilig. Im Geschäft sucht sie mit Genuß verschiedene Delikatessen aus, auch Backwaren, draußen überlegt sie, daß die Verkäuferin von der Sorte gerade frische gebracht hat, und geht zurück, um sie umzutauschen.

Auf der Straße geht sie mit einem auffälligen Schwung; als sie vom Bürgersteig heruntertritt, fällt sie sogar ins Tanzen, wobei ihre Unbeschwertheit und Biegsamkeit ins Auge fallen.

Ich gehe ihr gehetzt nach, verantwortlich dafür, daß sie der Frau hilft, die sich aus der Ferne an sie hält, mit einem erwartungsvollen, ängstlichen Lächeln, in der Hoffnung, endlich bemerkt zu werden. Mir wirft sie vorwurfsvoll ärgerliche Blicke zu, meine Schwester hat noch nicht nach ihrem Leiden gefragt – der Parzivalismus der Ärzte.

Meine Schwester bückt sich zu einem jungen Schwan, der auf dem Parkteich schwimmt und sich erwartungsvoll nähert, sie wirft ihm ein paar Krümel hin und hebt ihn dann voll Übermut in die Luft. Der Schwan schlägt mit den Flügeln und wirbelt Staubfedern um sich. Die Frau hat von einem bestimmten Augenblick an eine solche Staubfeder im Auge statt des Schmetterlings.

Der Schwan fliegt auf und landet auf der anderen Seite des Teichs, die Schwester lacht. Sie sagt zum jüngeren Bruder, er soll ihn holen, der Bruder geht ihm nach, aber bevor er ihn fangen kann, fliegt der Schwan wieder ein Stück und setzt sich auf den geteerten Deckel einer Streusandkiste oberhalb der Treppe, die vom Park auf die Straße führt.

Inzwischen hat sich die Frau meiner Schwester genähert, und als sie ihre Ausgelassenheit bemerkt, ermutigt es sie, sie anzusprechen. Meine Schwester erklärt ihr das Nötige, die Frau hört eifrig zu, freudig aufgeregt, durch die Zuwendung fast schon geheilt; ich bin erleichtert.

Wir gehen der Schwester nach und sehen ihr mit Vergnügen und Stolz zu, wie selbstsicher sie ist, freundlich, auf niemanden achtend, mit trainiertem Schwung geht sie die Straße bergauf, wir sind beinahe auf gleicher Höhe mit ihr, und Jakob beugt sich vor, um sie zu sehen, macht dann eine anerkennende Miene zu mir, er hat sich schon in sie verliebt; es war zu erwarten bei ihrer Ausstrahlung gegenüber meiner Gehetztheit. Der jüngere Bruder trägt den Schwan neben uns, auch er in unserer Reihe, sie geht einen Schritt vor uns, sie ist wichtig, und wir sind nur da, um es wahrzunehmen.

Ich gehe Kohlen holen, und während ich die Briketts in den Eimer schaufele und versuche, möglichst wenig von dem aufgewirbelten Staub einzuatmen, wird es dunkel, ich höre, wie die Tür abgeschlossen wird, und die Schritte meiner Schwester, die sich entfernt, ihr gedämpftes Lachen. Ich wache mit Zähneknirschen auf.

Die Patienten rücken zusammen und gehen beiseite, wenn sie im weißen Kittel im Park zwischen den Pavillons erscheint, einige der Frauen kommen näher und wollen bemerkt werden, lächeln unsicher und nicken, wenn sie ihren Blick erhascht haben. Sie schaut zerstreut hin, erwidert die Grüße mit einer gleichmäßigen Stimme, was die Patienten zu beruhigen scheint. Einige Fälle erklärt sie mir im Vorübergehen, die Patienten achten auf ihren Mund, lauschen angestrengt, verstehen, daß es um sie geht, schauen zu mir, was ich dazu sage, an meinem Ausdruck möchten sie ablesen, wie es um sie steht, ich sehe sie an, aber sie weichen meinem Blick aus und sehen wieder zu meiner Schwester hin.

Eine Frau beguckt mich und fragt: »Ist das die neue Frau Doktor?« »Ja, das ist auch eine Frau Doktor«, meine Schwester lächelt, wir gehen weiter. »Warum hast du das gesagt?« »Die Frau wollte es hören, außerdem ist es wahr.« »Ich bin aber keine Ärztin.« »Das ist egal, sie wollte nur eine Bestätigung haben.«

»Warum ist sie hier?« »Endogene Depression, suizidale Tendenzen, von dem letzten Versuch hat sie ein zertrümmertes Knie, lebt allein, wie die meisten hier.«

Wir begegnen einem etwa fünfzigjährigen Mann, rundlich, der jovial grüßt und winkt und flink in der Verwaltungsvilla verschwindet. »Das ist unser François, der Direktor. Er hat drei Jahre in Südfrankreich in einer Privatklinik gearbeitet – eine billige Kraft aus dem Osten –, der Leiter war ein Kommunist. Seit einem halben Jahr ist er bei uns und versucht hier die westliche Dynamik einzuführen. Fachlich unter Durchschnitt, aber verglichen mit seinem Vorgänger noch ein Genie, der war oligophren.«

Von diesem Vorgänger ging die Fama, daß er die unerschütterliche Trägheit, die totale Inertheit, die er im Umgang mit anderen zeigte, bereits als Fötus im Mutterleib besaß, er wäre übertragen und erst im elften Monat geboren.

Zu dieser Verzögerung kam es, weil die Ärzte, auch sein Vater – eine Kapazität –, ratlos waren, daß zur Zeit der putativen Geburt das Kind zwar die Durchschnittsmaße eines Neunmonatigen aufwies, aber nicht seine Impulse, geboren zu werden.

Die Mutter wollte sich von der Frucht auch nicht trennen, obwohl ihr jede Bewegung, vor allem das Atmen immer beschwerlicher wurde. Er war ein spätes Kind, und sie nahm ihren Zustand mit der aufgesparten Energie der vielen Wartejahre an. Sie rechnete noch einmal nach und war zu dem Schluß gekommen, daß sie sich um zwei Monate verrechnet hatte, daß das Kind noch bei ihr bleiben müsse, wenn es nicht eine zwergige Frühgeburt werden sollte. So trug sie weiter ihr Ungeborenes, hielt es vielmehr nur in sich – sie bewegte sich seit ihrem Entschluß nicht mehr –, und huderte es in ihrem Inneren, wo hinein sie sich selber dachte, als seine Gespielin, in wohltuender Dunkelheit.

Nach elf Monaten halfen ihr keine Versicherungen und neuen Berechnungen mehr, obwohl das Kind weiterhin keine Tendenz zum Verlassen des Leibes zeigte. Es lebte im Uterus über seine Frist hinaus, schied schon aus, das Fruchtwasser war bei der Geburt trüb und roch, lediglich in dem Sinne war es auf Geburt aus, daß es ohne Rücksicht auf die begrenzte Dehnbarkeit seiner Behausung wuchs. Der Kaiserschnitt war die letzte Lösung. Die Mutter verblutete, starb an der vereiterten Leere.

Er schien acht Stunden lang am Tag an seinem Arbeitstisch zu schlafen. Als ein junger Arzt während eines Nachtdiensts in das Dienstbuch eintrug: »Keine Einlieferung, keine Zwischenfälle, nur aus der Ferne trägt der Wind das Heulen eines einsamen Hundes her«, griffen es die anderen erfreut auf und schrieben Fortsetzungen über den Hund in das Journal. »Heute gegen vier Uhr morgens erblickte ich ihn, scheint herrenlos zu sein, von unbestimmter Rasse, ohne Anschluß, destruktive Neigungen, (reagiert an Rabatten ab).«

Die Eintragungen über den Hund wurden immer länger, einige wollten bereits eine Hündin einführen, damit er nicht immer so allein durch ihren Nachtdienst trottete, bis nach etwa zwei Monaten der Direktor schläfrig bemerkte: »Beenden Sie das.« »Was?« »Das mit dem Hund. Schaffen Sie ihn fort.«

Sein Tod geschah wie sein Leben ohne sein Zutun. Bei einer Heimfahrt im Nebel, als er auf einer abschüssigen Strecke vor einer Bahnschranke in seinem grauen Trabant wartete, wurde er von einem Laster niedergewalzt. Meine Schwester, die mit ihm regelmäßig nach Hause fuhr, war an diesem Wochenende in der Anstalt geblieben.

Wir gehen durch die Abteilung, ich muß einen Kittel anziehen. Die Kranken halten uns die Türen auf, ich will zwei alte Frauen vorlassen, aber sie treten beiseite und warten, daß ich durchgehe. »Du verwirrst sie«, sagt meine Schwester.

Es spricht sich herum, daß zwei Ärztinnen kommen, normalerweise ist die große Visite morgens, jetzt nach dem Abendessen ist der Besuch eine unerwartete Abwechslung. Die Frauen liegen angespannt unter den Decken und warten, wann sie an die Reihe kommen, ich spüre ihre Aufregung. Meine Schwester geht durch die Räume, fragt ab und zu »Wie fühlen Sie sich?« und sagt »Das ist schön« oder »Die Schwester wird Ihnen eine Tablette geben«.

Der geschlossene Trakt nebenan gehört zu einer anderen Abteilung, sie vertritt hier nur eine erkrankte Kollegin. Er ist nicht anders als die offene Station vorher, nur etwas ruhiger, die Zimmer sind kleiner.

In einem Zweibettzimmer liegt eine Frau allein, es ist dämmrig, meine Schwester macht kein Licht, sie bleibt in der Tür stehen. »Eine schwere Schizophrenie, sie ist erst seit kurzem hier.« Die Frau liegt mit offenen Augen da, bewegungslos, sie starrt in die Decke und scheint uns nicht wahrzunehmen.

»Dabei noch ziemlich jung«, sage ich, seit ich den Kittel anhabe, fällt es mir zunehmend leicht, über die anderen zu sprechen, als wären sie abwesend.

Meine Schwester ist bereits hinausgegangen, als sich die Frau umdreht und meinen Namen sagt.

Ich sehe sie an, ich habe Mühe, sie zu erkennen. Sie ist aufgedunsen, die Augen schwimmen ruhelos, ängstlich im Gesicht, ich ziehe den Kittel aus und schließe die Tür. »Vera?« vergewissere ich mich noch. Sie war im achten Semester die Schönheitskönigin auf dem Maifest der Fakultät, es sind zehn Jahre her. Viel weiß ich nicht von ihr, wir waren nicht befreundet. Sie sagte einmal von mir, daß ich ihr Angst einjage. Nach der Erleichterung, mit der sie mich hier sieht, muß ihre Angst groß sein.

Ich weiß zunächst nicht, was ich sagen will, zumal ich sie nicht gern hatte.

»Schmerzt dich etwas?«

Sie wendet den Kopf kurz ab und sieht an mir vorbei, wir schweigen wieder. Dann sagt sie mit einer heiseren, kaum verständlichen Stimme: »Ich fühle überhaupt nichts.«

Wieder eine Pause.

»Brauchst du etwas oder möchtest du etwas?«

»Bleib hier.«

Ich setze mich auf das zweite Bett, sie schließt die Augen, zum erstenmal, seit ich hier bin. Ich sehe ihr Gesicht; sie war klein, rundlich, mit winzigen Zügen und blonden Locken, jetzt sieht sie wie ein krankhafter Puttenengel aus. Sie ist angespannt, mit offenem Mund, als würde sie auf etwas hören. Eine Hand unter der Decke bewegt sich unruhig, die andere liegt blutleer da; ich berühre sie. Sie erstarrt, dann faßt sie meine Hand mit einem kalten Griff und preßt, umklammert schnell mein Handgelenk und bohrt sich die Fingernägel in die Kuppe ihres Daumens. Ich sehe die Adern auf meinem Handrücken hervortreten, es schmerzt nicht, ich bin von ihrer Fühllosigkeit angesteckt. Ich ziehe die Hand zurück, sie öffnet die Augen und läßt mich los. Ich reibe das Handgelenk, sehe, daß sie mich beobachtet und verdecke es.

»Hat es geschmerzt?«

»Nein.«

»Ja, es schmerzt nicht«, sie sieht ihre Finger an. Ihr Daumen ist tief gerillt, ich sehe jetzt, daß ihre Hände mit diesen Malen bedeckt sind, auch ihr Hals.

»Was ist mit dir?«

Sie antwortet nicht. Dann fängt sie an, in ihrem Bett

unter der Decke zu tasten, kann etwas nicht finden und für einen Augenblick erstarrt ihr Gesicht vor Schrecken, sie wühlt konfuser, dabei deckt sie sich auf.

Sie hat nur eine Pyjamajacke an, unten ist sie nackt, mit Kratzern auf den Schenkeln und auf dem Bauch. Aus ihrem Schoß ragt der Stiel eines Besteckstückes, eines Löffels, der zum Vorschein kommt, als sie versucht, ihn mit der anderen Hand zu verdecken. Zwischen ihren Beinen bildet sich auf dem Laken ein Blutfleck. Sie deckt sich hastig zu und blickt mich mißtrauisch an.

Bevor ich etwas tun kann – aufspringen, sie rütteln, schreien –, reicht sie mir ein Notizheft, das in ihren Laken verwühlt war, es ist klebrig.

Ich sitze zitternd da, ich fühle, wie mir Tränen in die Augen treten, ich fange an, in dem restlichen Licht zu lesen.

Am Niagarafall. Ein armer Wilder, der den Fluß hinabfuhr, hielt ein wenig oberhalb Chippaway an und befestigte seinen Kahn am Ufer an einem Baume, legte sich dann darin schlafen, und die Frau ging ins Gehölz, um einige Pflanzen einzusammeln. Unterdessen kam ein englischer Soldat das Ufer entlang und band aus boshaftem Mutwillen den Kahn los, der sogleich von der Strömung fortgetrieben wurde. Der unglückliche Wilde erwachte zu spät, und das Hilfegeschrei seines am Ufer voll Verzweiflung hinrennenden Weibes war vergebens. Als er sah, daß alle Anstrengung sich herauszuarbeiten, nichts nutze und daß er verloren sei, legte er sein Ruder weg, trank einen Schluck Branntwein, hüllte sein Haupt in eine Decke und legte sich auf den Boden des Kahnes nieder, mit Ergebung den Tod erwartend, den er auch bald in dem schrecklichen Abgrunde fand.

Es ist eine Eintragung aus den Notizbüchern des Romantikers Karel Hynek Mácha, auch die Quelle ist in Veras leserlicher Schrift angegeben: Sommers Geographisches Tagebuch, 1. Jahrgang, 1823.

Es folgen Berichte über das Ausrotten der Hereros in Südwest-Afrika durch das von Trothasche Korps, über Menschenversuche in Dachau und Ravensbrück, über das routinierte Skalpellieren von Robbenfellen, dazwischen private Notizen, über ihren Mann, ein Bild von aufgeregten Jugendlichen mit einer verfärbten tschechischen Fahne vor russischen Panzern. Darunter: »Ein Mißverständnis ist es, und wir gehen daran zugrunde.«

Die schriftlichen Eintragungen werden schwerer leserlich, auch wegen des sinkenden Lichtes. Es ist noch ein Gedicht zu entziffern.

... *die trostlosen Regierungsgebäude, die falsche Zeit, die tote Palme ... des Negers, der schweigende Brunnen am Ende der ... Ich bin alles Zubehör der Nacht.*

Čí jsem?

Es ist zu dunkel, ich erkenne auch Vera nicht, ich höre sie sagen: »Nimm es zu dir.«

Ich stehe auf, sie liegt da und scheint zu warten – auf den Schmerz, der sie von der ungefühlten Umluft abgrenzen würde. Sie nimmt mich nicht mehr wahr.

Das Gedicht am Ende täuscht über ihre Zerstörung hinweg, in ihrem Stochern nach Schmerz, in ihrer einsamen Abwehr gegen den Wärmetod identifiziert sie sich mit nichts.

Meine Schwester hat in ihrem Zimmer eine Flasche Wein geöffnet und daneben einen Zettel hinterlassen, daß sie drüben bei einem Kollegen mit den anderen sitzt und daß sie alle auf mich sehr neugierig sind. Ich gehe sie holen. »Das ist also deine kleine Schwester, Marie, und die hast du uns so lange vorenthalten?« – der Mann gilt als klug. Er hat über seinem Schreibtisch ein großes Porträt von Freud hängen, was ihm bei der

Halbillegalität der Schriften einen subversiven Hauch von Eingeweihtsein verleiht. Ich sage zu meiner Schwester, daß ich in die Stadt zurückfahren möchte, sie läuft mir nach: »Das kannst du ihnen doch nicht antun!«

Ein Arzt aus einer anderen Abteilung nimmt uns mit, wir sprechen kaum. Später kommt noch ein früherer Kollege von ihr zu Besuch, sie hatte ihn vorher angerufen. Sie vermeidet es, mit mir allein zu sein. Im Laufe des Abends setzt sie sich ihm gouvernant aufs Knie, ich sehe, wie sich ihr schwerer Hintern unter dem dünnen Stoff ihres Nachthemd-Hauskleids teilt, die beiden Hälften deutlich abgesetzt. Der Mann hat weniger getrunken, er sieht mich über ihre Schulter verlegen, gespielt ratlos an, während sie ihre nacht-crémegefettete Wange auf seine preßt.

Am nächsten Morgen meint sie, dieser Peter wäre so primitiv, er würde sich auf jede Frau stürzen, und ich hätte ihn mit meinen Reden auch noch provoziert.

Nach dem Frühstück sagt sie: »Ich weiß nicht, was du immer hast, du bist völlig unbeherrscht, unberechenbar, etwas paßt dir nicht, und du schmeißt alles hin, guckst weder links noch rechts, nimmst keine Rücksicht – immer das gleiche: geringe Frustrationstoleranz, bis zur hysterischen Steigerung der Nichtidentifikation mit der Rolle.«

Ich gehe in die Stadt. Ich fahre zum Kloster Strahov, in die Bibliothek, wo sich Kafkas Manuskripte nicht befinden – und Max Brod hat sich bei ihrer Aufnahme in die Bodleian Library noch für die Ehre bedankt! *merken Sie die Schande?* – wo auch der Codex argenteus fehlt – Kriegsbeute, wie die Uranpechblende in Jáchymov.

Ich gehe über Petřín zur Hungermauer, dann am Fluß entlang zurück zur Brücke, den Steinbruch will ich nicht suchen. Am Platz der Rotarmisten – eine kurze Zeit hieß er Jan-Palach-Platz, an der philosophischen Fakultät vorbei, im Vestibül wurde Vera als Schönheitskönigin auf Schultern getragen.

In den Seminarräumen der germanistischen Abteilung war sie unauffälliger, in den Lektorübungen der Siegelinde Czichorski, die uns die Erste und Zweite germanische Lautverschiebung und alle Namen der Fruchtbringenden und Nutzbringenden Sprachgesellschaften nach dem Vorbild der Accademia della Crusca aufnötigte und mit ihrem Synthetik-Kostüm den Vorsprung der DDR auf dem Gebiet der Chemie überzeugend demonstrierte. Es schien unzerreißbar, war aus einem metallisch blaugrün glänzenden Stoff, ohne Knöpfe – es hielt durch Adhäsion, nachts mußte es phosphoreszieren – und saß wie eine passende Rüstung oder ein Schamotte-Anzug. In der ersten Stunde wollte sie uns gewinnen mit der freimütigen Eröffnung, sie wäre auch slawischer Abstammung, was keinen Eindruck machte; wir warteten, wann sie zugibt, daß ihr Vater ein KZ-Wächter war oder zumindest ein aktiver PG. Weniger harmlos war Selsnitz, der andere Lektor, dessen einzige Qualifikation in seiner österreichischen Herkunft bestand und damit in der Beherrschung eines nicht überprüfbaren Dialekts. Als politisch verläßlich wurde er über Nacht ohne Promotion zum Leiter von drei Lehrstühlen, der Germanistik, Anglistik und Nordistik gemacht und hat sich bewährt.

Ich gehe weiter durch die kopfsteingepflasterten Gassen zum Zentrum, ich bemühe mich, mich heimisch zu fühlen. Mit den Hausmauern, dem Modergeruch aus den verfallenen Toren gelingt es mir besser als mit den Gesichtern.

Ein großes Tuzex-Geschäft, ein Ausverkauf der letzten Antiquitäten für Devisen, das meiste bereits mindere Qualität. Im Fenster ein Briefbeschwerer, eine Glaskugel mit vier verschneiten Köpfen – Marx, Engels, Lenin und Stalin im Schneetreiben bereits aufgeweichter Flocken, ein Präsent aus den fünfziger Jahren – darunter steht mit Bleistift »verkauft« in Deutsch.

Am Abend treffe ich meine Schwester allein.
»Was werdet ihr mit ihr machen?«
»Ich bin nicht ihre behandelnde Ärztin.«
»Was wird sie mit ihr machen?«
»Wahrscheinlich kriegt sie einen Elektroschock.«
»Was?«
»Weißt du, was sie schon alles geschluckt hat, wie häufig sie sich geschnitten hat? Sie hat sich einen rostigen Nagel in den Kopf gedrückt, die Schwestern müssen jeden Tag nachsehen, ob sie nicht wieder eine Gabel versteckt hat. Sie muß die meiste Zeit angegurtet sein.«
»Sie soll entlassen werden.«
»Wohin soll sie gehen, sie will zu ihrem Mann nicht zurück.«
»Dann muß er die Wohnung räumen.«
»Und wer wird auf sie aufpassen?«
»Was soll da ein Elektroschock bewirken?«
»Daß sie damit aufhört.«
»Für wie lange? Und wie viele Nervenzellen gehen dabei kaputt?«
»Bei einem Alkoholrausch verlierst du fast genauso viel.«
»Dann soll sie sie lieber versaufen.«
In der Nacht fahre ich nach Göttingen zurück. Ich bin erst gestern angekommen, aber es gibt nichts weiter zu besprechen. Für die fünfzehn Stunden auf der Bahn habe ich Lektüre mit. Meine Schwester hält trotz meiner Abfahrt ihre Verabredungen mit meinen Bekannten für den nächsten Tag aufrecht: »Ihr kennt doch Franza, wie schwierig sie ist« –, es kommen alle.

4

Ich höre das 2. Streichquartett von Leoš Janáček – Listy důvěrné, Vertrauliche Blätter.

Die Töne kommen mit einer Intensität, die nicht abbricht und einen ostinaten Krampf spiegelt, wie er in der Aura der Epilepsie, in der Sexualität zutage tritt, mit Steigerung, Beschleunigung, mit einem Ausweichen in einen Nebenkrampf, der in Erschöpfung, nicht Erleichterung, endet.

Danach die Pavane. Ich bleibe reglos, ich gestalte mein Begräbnis, lasse es durch die Töne austragen, die Ravel nicht als Trauermusik komponiert hat, ihm gefiel der Klang des Titels – ›Pour Une Infante Défunte‹. Für mich haben sie eine Trauer, eine Todesähnlichkeit, nicht fürchterlich, wie wenn ein Vogel stirbt, einzeln, vor Erschöpfung, oder erfriert.

> Pláčeme: zmáčené ptáče
> doneslo novinu zlou

> Wir weinen: ein durchnäßter Vogel hat
> eine schlimme Nachricht gebracht

Nicht das massenhafte Verkümmern teerverklebter Sturmvögel, an dem keine Trauer möglich ist. Dann bleibt nur das Suchen nach einem authentischen Schmerz in den Rippelungen und Windungen des eigenen Körpers als Antwort auf das Sterbegerümpel übrig. Das heimliche, ungestörte Verbluten gegen Morgen auf einer öden Strecke – zwischen der Pulverbrücke und dem Platz der Oktoberrevolution – von dem nur eine Lache zeugt, keine Notiz, wer das war.

Die Pavane gibt meinem Tod eine Bedeutung. Ich bin eine heidnische Fürstin, die auf einem steinernen Katafalk aufgebahrt liegt, den Leib nach dem Brauch zur Atemlosigkeit verschnürt. Sie ist Königin, sie darf sich nicht bewegen, sie erlöst ihr Volk mit ihrem Tod bei Leben. Als ich hinabgelassen werde, höre ich die Stimme aus der Chronik: Da stirbt die große Königin von Böhmen.

Das Telefonklingeln beendet die Pavane.

Ein Mann möchte Jan Herzog sprechen, er klingt dringlich.

»Er wohnt nicht hier«, sage ich, beunruhigt, etwas Wichtiges könnte versäumt werden.

»Wo kann ich ihn erreichen?«

»Worum geht es?«

»Ich wollte einen Termin mit ihm ausmachen, wegen der Versicherung. Er kauft ja jetzt ein Auto.«

»Wie kommen Sie darauf?«

»Er hat gerade seinen Führerschein gemacht.«

»Das bedeutet noch nicht, daß er ein Auto kauft.«

Der Mann schweigt für einen Augenblick.

»Was für eine Landsmännin sind Sie denn?«

Darauf bin ich nie vorbereitet.

»Ich bin aus Prag.«

»Ah, aus der Tschechei.«

»Aus der Tschechoslowakei.«

Er läßt sich durch meinen gereizten Ton nicht beirren. »Seien Sie bloß froh, daß Sie hier sind«, belehrt er mich vertraulich. Ich warte nur, daß er fragt, wie mir die Flucht gelungen sei. Meine Antwort würde er nicht verstehen.

Ich lege auf.

Ich kann mich an diese Frechheit, an die joviale Ignoranz nicht gewöhnen, an das fette Nicht-Wissen, an die Vereinfachungen, die ostentativ falsche Schreibweise meiner Daten, dazu das touristische Know-how über die »Goldene Stadt«.

»Ach, da lebte ich mit meinem Mann sechs Jahre lang«, erstrahlt eine Frau im Zug, »es war sehr schön damals.«

»Wann?«

»Im Krieg«, antwortete sie, verklärt von der Erinnerung, und bietet mir eine Mandarine an.

»Nein, danke.«

Als sie aussteigt, wünscht sie mir noch alles Gute.

Der Jugendliche in der Ecke neben mir schläft weiter. Jetzt, nachdem die Frau ausgestiegen ist, nehme ich den Geruch nachhängender Pubertät wahr, ich sehe, daß er die Augen geschlossen hält, und setze mich einen Sitz weiter an die Tür.

Sie läßt sich nicht ganz zuschieben, es zieht. Während ich mich damit mühe, wird sie von außen in meinem Rücken aufgezerrt und der Schaffner tritt herein mit überschüssigem Schwung von der Abfertigung des vorigen Coupés, hier lohnt der Aufwand kaum.

»Ihre Fahrkarte auch«, wendet er sich an den Jugendlichen. Der greift in die Hintertasche und hält einen Schein hin. Der Schaffner besieht ihn kurz, wendet ihn und sagt: »Sie fahren ohne Fahrkarte, Ihren Personalausweis.« Das Gesicht im Ausweis – jung, kindlich rund. In der Realität ist schon eine Art Bart da, das Gesicht ist sonst noch unbearbeitet, etwas roher, stumpf. Jörg Erich Karl Scherze, geboren in Schwerin. Der Schaffner macht Eintragungen in seinen Notizblock. »Ihre Arbeitsstelle?« »Keine«.

Ohne daß er sich geweigert hätte, seine Personalien anzugeben oder seinen Ausweis zu zeigen, und obwohl er auch sonst ruhig geblieben ist, wird der Schaffner immer aggressiver, steigert seine Empörung, indem er wiederholt: »Hätte ich Sie nicht gefragt, hätten Sie sich auch nicht gemeldet. Sie hätten nichts gesagt.« Er fragt immer polizeimäßiger, wohin Scherze fahre, der gibt einen Ort bei Frankfurt an, den ich nicht verstehe, sagt auch, in Frankfurt könne er bezahlen, dort hätte er jemanden. Der Schaffner ruft den vorbeigehenden Zugführer, zeigt Scherze an, sie besprechen es auf dem Gang bei zugezogener Tür. Scherze wird der Personalausweis wieder abgenommen, dann schließt der Schaffner die Tür, auch den Spalt, und bleibt davor, während der andere mit dem Ausweis nach vorne geht.

Ich sehe den Jungen an. Ich habe überlegt, ob ich für ihn bezahle, ich hätte nachsehen müssen, ob ich genügend Geld habe, er sieht aber ganz gleichgültig vor sich hin.

In Göttingen wartet bereits die Bahnpolizei, zwei Uniformierte mit Hunden, der erregte Schaffner winkt aus dem Zugfenster, wo wir sitzen. Scherze wird abgeführt, obwohl seine Zielstation bei Frankfurt liegt und in Frankfurt jemand seine Fahrkarte bezahlen würde.

Sie haben ihn nicht einmal gefragt, ob er bezahlen will, es kam nur auf die Feststellung an, daß er schwarz fährt.

Von der aufgebrachten Mannschaft eines Frachters wurde ein blinder Passagier bis zur Besinnungslosigkeit verprügelt und dann ins Meer geworfen. Für sein Flehen, er würde die Überfahrt abarbeiten, hatten sie nur Hohn. Der Anstifter konnte nicht namentlich ermittelt werden; es waren Matrosen, die ihre Arbeit machten.

Vor dem Bahnhof fährt gerade mein Bus ab, es nieselt, ist aber nicht kalt. Ich gehe zu Fuß, nehme die Abkürzung über das Bahngelände an Kohlenhaufen vorbei und der Kühlwasserpumpe, an einem zugewachsenen Gleis mit einem verwitterten Balken als Puffer. Seitwärts fangen Schrebergärten an und eine Garage-Autowerkstatt mit einem verschlossenen

Drahttor, hinter dem ein verzottelter Schäferhund an der Kette reißt. Von der Bahnanlage ist noch die Rückwand und eine Seitenwand eines großen Kohlenschuppens übrig, an der ich beim letztenmal die Riesin aus der Anstalt in unserem Viertel und den Alten, mit dem sie geht, im Stehen kopulieren sah, er einen Kopf kleiner als sie, ihren weißen massigen Hintern in den Händen.

Heute ist nur ein Bahnarbeiter da, der an das Mauerstück uriniert.

Hier probieren die Achtjährigen das Rauchen, unter den abgestellten Karosserien kann ich mir auch einen kleinen Sniffler vorstellen, einen benzingetränkten Lappen ans Gesicht gepreßt, bereits bewegungslos.

Ich merke erst vorm Haus, daß ich meinen Schlüssel vergessen habe, und nachdem ich mehrmals vergeblich geklingelt habe, gehe ich zum Hausmeister im Hochhaus nebenan, der auch unser Haus betreut. An seiner Tür ist ein Schild mit angegebenen Sprechstunden befestigt, ich klingle trotzdem. Es dauert eine Weile, dann öffnet seine Frau, hört mich an und ruft »Max!«. Der Hausmeister kommt, gewichtig, langsam, als er mich sieht, läßt sich alles noch einmal erklären, ich sage, daß ich gerade mit dem Zug gekommen bin, es klingt nach Entschuldigung. Er nimmt nach einigem Suchen vom Brett einen Schlüssel und händigt ihn mir mit einer bedeutenden Miene aus: »Aber nächstes Mal in meine Sprechstunde kommen.« Da er mir den Schlüssel mit seiner ledernen Kunsthand reicht, bin ich außerstande, etwas Passenderes zu antworten als »Danke«.

Gegen Hausmeister bin ich wehrlos, besonders gegen versehrte. In der Germanistik ist ein noch älterer, der seinen Ärmel in der Jackentasche trägt. Als ich zum erstenmal mein Seminar über den Prager Strukturalismus abgehalten hatte und beschwingt nach Hause ging, hielt er mich am Ausgang an, mit dem gesunden Arm, und sagte: »Fräulein, Ihre Tasche, aber dalli.«

Zu dieser Zeit muß das innere Flattern bei mir angefangen haben, das sich in meiner Hüfte festgesetzt hat – von diesem schnellen Zupacken mit den vom Krieg übriggebliebenen Fingern, von dem schnellen Anschuldigen hier. Eine alte Frau, die mit ihrem Blindenstock unsicher an einer Kreuzung die Bürgersteigkante abtastete, hatte sofort ihre Handtasche fester umklammert, als ich ihr anbot, sie über die Straße zu bringen. Ich habe damals gekündigt, nicht nur wegen des Hausmeisters, und ich hinkte schon.

Ich steige über Jans Drähte und Lampen, es liegen etwa zwanzig Stecker verschiedener Bauart herum, er versucht manchmal, mir die Unterschiede zu erklären. Er hat einen Dimmer aufgebaut, der Regler ist unter der Tischplatte angeschraubt, und ich muß mich bükken und hinter der Tischkante tasten, bis ich ihn drehen kann, wie er mir sagt. Über das halbe Zimmer sind farbige Glühbirnen von unterschiedlicher Stärke in Reihe geschaltet, wenn ich die Stecker verbinde, leuchten sie mit einem unsicheren Schwanken auf. Auf dem Boden mehren sich ausrangierte Lampenschirme aus Milchglas, die an Krankenhausbeleuchtung erinnern, jeder anders, aber von einheitlicher Stumpfheit, die er in der Wohnung anbringen will, mir sind die nackten Glühbirnen an der Decke lieber.

Es sind Abfälle aus dem Institut, Jan hat sie auf dem Müll gefunden und stundenlang provisorisch gereinigt; allein das Entflechten der Drähte kostet alle Zeit, es sind bereits kiloschwere Knäuel geworden, ineinander verschlungen, daraus ragen Bananenstecker mit angeschmorten Stiften, die er einzeln abschmirgelt, ehe er den dazugehörigen Draht zusammengerollt auf eine Stelle legt, wo sich andere gesäuberte Drähte allmählich zusammenfinden, sachte aufrollen und ineinanderschlingen. Das neue Geflecht unterscheidet sich vom alten durch die getrennten Farben und Stärke der Drähte; nach einer Zeit – ich komme an Wochenenden, es kann seit den ersten, noch probeweise gebrachten Gegenständen ein Monat vergangen sein –, sehen sich die beiden Haufen ähnlich.

Es sind neue Glühbirnen dazugekommen, von seltsamer Form, klein, rund wie Ping-Pongbälle, und große, aus dünnem, angegrautem Glas, mit einer anderen inneren Organisation, anderer Zusammenwirkung der Drähte und der Elektroden, von alter Bauart, wo der Glühbogen lang ist, einige mit heraushängenden Drähten, die sich direkt, ohne Fassung anschließen lassen. Zwei neue Telefonapparate, schwarz matt, mit schweren Hörern, stabil in der Hand, und Bretter, die als Ständer für die Apparate an die Wand kommen, aussortierte Mikroskope mit Zubehör – Lampen, Linsen, Präparatschalen und hauchdünne Glasplättchen für histologische Schnitte, dazwischen verstreutes Werkzeug, der Werkzeugkasten offen in der Mitte.

Das Betreten des Zimmers erfordert eine immer größere Umsicht, von den Sachen breitet sich ein alter Geruch aus, trocken schimmelig; der Impuls, das Fenster zu öffnen, scheitert an der Schwierigkeit, es zu erreichen, und an dem vollgestellten Fensterbord. Hier stehen weitere ausgebaute Geräte und Ständer, mit Steinen und schweren Wurzeln gefüllte Aquarien, dazwischen Netze, Heizer, Luftpumpen, Regler, Dosen mit Fischfutter, unter dem Fenster Eimer voll Sand, mit Glasplatten zugedeckt. Auch Tischplatten sind dazugekommen, ein Holzrost liegt auf dem Tisch, und alle kleineren Sachen, die dort aus Platzmangel abgelegt werden, fallen durch und müssen herausgestochert werden; es sind meist die Sachen, die als einzige benötigt werden: Kugelschreiber, Stifte, Radiergummi, Streichhölzer, Klammern.

Erst überrascht, verwirrt amüsiert, zunehmend mit Ärger, Beklommenheit, dann schon seltsam gebannt nehme ich die unaufhaltsame Wucherung im Zimmer wahr. Jan sieht dem Überhandnehmen des Abfalls aus dem Institut ähnlich gelähmt zu, er kann es nicht verhindern, nicht abbrechen. Es ist sein Abschied von der Stelle seiner Ausbildung, seiner Deformation zum Wissenschaftler, die erfolglos blieb und sich nun auf diese Weise offenbart. Die Entropie, die er um sich häuft, spiegelt das tägliche Wuchern des wissenschaftlichen Ausstoßes.

Er gebärdet sich nur am Anfang als Bastler – sein Eifer, mit dem er sein Werkzeug holt und den ersten Anlieferungen begegnet –, dann wird es zu viel, er hat auch kein bestimmtes Ziel, keine unmittelbare Verwendung für die Sachen, auch keine spätere.

Was brachte er noch:

einen trotz stundenlangen Waschens stinkenden Sägerochenzahn vom Dachboden des Zoologischen Museums, einen neun Kilo schweren Transformator, den er vorher ausgebaut hatte, optische Geräte, Okulare, Kinoobjektive, aus verstaubten Schachteln zusammengesucht und gereinigt. Gesäubert wirken die Sachen anders, manche so wertvoll, daß er sie wieder zurückbringt, bei den anderen wartet er auf den glücklichen Zufall, daß er sie an jemanden verschenken kann, der sie braucht, aber es hat niemand dafür eine Verwendung. Einmal findet ein Freund von ihm zwei Mikrometerschrauben dabei, die er sich schon lange gewünscht hat.

Später vergleiche ich es mit Jakobs Zimmer; sein Lichtschalter ist auch ein Dimmer. Seine Tischplatte ist nicht zu sehen, erst als ich einen Stapel aneinandergereihter massiver Magnetscheiben mit angehängten Klammern, Nägeln, Schlüsseln, Scheren am Henkel der oberen hebe und über den Tisch bewege, hinterläßt er auf dem Tisch eine Schleifspur, unter der die Lederunterlage zum Vorschein kommt, und noch während meines Besuchs wieder belegt wird.

Der Fußboden ist betretbar, es liegen neben dem Plattenstapel an der Wand weichere, weniger zerbrechliche Sachen da, Schuhe, Strickjacken, Hemden, Korken, – einer an einem Faden, das Lieblingsspiel der Katze, die nach einer Verletzung an einem Stacheldraht nach der Narkose, in der sie zusammengenäht wurde, gestorben ist.

In einem Fach des Bücherregals sind Spiele gestapelt, Tavli, Kalaha, Memory, Reversi, Halma, Schach, Hex, Solitaire, Tangram, Go, etwa zwanzig verschiedene Kartenspiele, daneben Jakobs Nähkasten. Auf einem Lautsprecher steht auf einer Platine, aus einer alten Büromaschine ausgebaut, eine chinesische Holzente, die ich Vaucansons Ente nenne.

Jans Ästhetik bezieht sich weniger auf Automaten und Rechner, sondern auf die Einrichtung von Aquarien – das Anbringen von Pflanzen, Steinen, Sand, Wurzeln; am wichtigsten sind die Höhlen, die Flucht- und Ausweichmöglichkeiten.

Seit einiger Zeit richtet er kein Aquarium ein.

Ich finde ihn auf der Bettstelle unter dem Gerümpel verdeckt liegen, mit aufgerissenen Augen, auf seiner Brust hebt und senkt sich eine bizarre Anordnung farbiger Glimmlampen mit angeklebten Spiegelscherben, ein summender, unregelmäßig, zittrig leuchtender Funktionskreis, den er Zufallskonverter nennt.

Seine Spannung schlägt sofort auf meine Hüfte, sie ist so groß, daß ich mich setzen muß, es ist aber kein

Platz da, ich lehne mich an die Wand. Er sieht mich endlich und sagt mit einer verspannten, sich überschlagenden Stimme: »Du siehst, es ist immer noch nicht aufgeräumt, ich habe wieder nichts gemacht, du kannst gleich wieder wegfahren.« Ich gehe in die Küche und trinke eine Tasse Whisky, dann setze ich mich. Ich sehe, wie mein Fuß gegen den Boden schlägt, kann es aber nicht abstellen. Er kommt mir nach. Wir sitzen eine halbe Stunde erstarrt da, ich presse meine Hand gegen den Mund, am Ende heult er auch. Die Spannung, die ihn so roboterhaft, so fühllos macht, löst sich langsam auf.

In meiner Liebe zu ihm ist ein verzweifeltes Festhalten, Etwas-beweisen-wollen, Ertrotzen, wozu er keine Lust hat, vielleicht keine Kraft mehr. Er ist vertieft in seine Gänge, unterirdischen Höhlen, wo er als solitäres Wesen, als ein Fabeltier verkrochen lebt, ein kleiner brauner Drache, den kaputten Flügel mit Drähten geflickt, schreckhaft, scheu, gefährlich nur sich selber, aber für ein Fabeltier gibt es in dieser Welt keinen Tod. Ich grabe mich manchmal zu ihm durch, koste von der Droge, die ihn in diese schmerzhafte Anspannung versetzt, befinde mich in der gleichen Einsamkeit, wie sie nur vom Bild des Pferdekopfnebels ausgeht.

Unter dem Kopf
beugt sich der Nacken
der das Weltall trägt
unter der Hand einer Frau.

Schmiegt sich in Wärme
vor Verlangen nach ihr
aufwärts im Sträuben der Mähne.

Bald karges Lot,
silberner Biß
fällt mir allein vor die Zähne.

Horizontal
reißt sie mein Maul,
armer Pferdekopfnebel

Fand Sexualität statt?

Ja, sie fand statt, unter dem Krachen des Kalks zerdrückter Muscheln und herumliegender Knochen, dem Bersten übersehener Glühbirnen, dem Rollen vergessener Werkzeugteile, zwischen den Drahtwicklungen der Präzisionswiderstände – Porzellan von Rosenthal oder Monette –, lose oder auf Platinen neben den weniger präzisen Keramikwiderständen, eingekeilt zwischen kantigen Höchstahlstangen und gestapelten Neonröhren, zwischen verstreuten Dübeln und Schrauben, eingedrückten Meßgeräten, mit einem schwarzen Telefon an der Ohrmuschel, voll von altem, lautem Klingeln.

Diese heftige, schreckhafte Gemeinsamkeit kam nicht aus einem Verlangen nach einander zustande, sondern aus der Angst vor dem wachsenden Chaos.

Sie stehen auf und sehen Ihrem schlafenden Mann zu, er schläft tief, seit ein paar Stunden, halb sechs ist er schlafen gegangen, über einer Schnitte las er die herumliegende Zeitung, wollte sie nur durchblättern und las sich fest, ließ sich darauf ein, wie er es haßt.

Sie setzen Wasser auf, leeren das Sieb, füllen neuen Tee hinein, überlegen, ob die Post gekommen ist, gehen hinunter, wenn das Treppenhaus still ist, man soll nicht sehen, daß Sie nur deswegen hinunter gegangen sind und dann nichts haben. Es steckt eine Karte darin, es ist nicht viel, aber sie läßt sich im Gehen lesen und lenkt dadurch Ihre Spannung, daß Sie jemandem begegnen könnten, ab. Ihr Mann fragt »Hast du Tee gemacht?«, er hat das Aufgießen nicht wahrgenommen.

Er kommt zum Tee. Sie zeigen ihm die Karte. »Lies

vor«, er will den Tag zumindest gemeinsam anfangen, er hört es lieber von Ihnen, als daß er selber liest.

Sie wünschen sich, daß er einmal vor Ihnen aufsteht und den Tee kocht, um den Tee geht es nicht, er macht ihn genauso oft, aber er steht nicht früher auf, er geht auch nie vor Ihnen schlafen. Sie können sich begegnen, wenn Sie aufgestanden sind und er noch dasitzt, für eine halbe Stunde können Sie zusammensitzen, den letzten Tee von der Nacht trinken. Dann geht er schlafen.

Sie verdunkeln das Zimmer, bei dem Zuziehen der Vorhänge sehen Sie auf die Straße; dort ist für alle Tag. Sie nehmen Ihre Sachen und tragen sie leise aus dem Zimmer, er hat die Augen geschlossen und fängt an, regelmäßig zu atmen.

Ihre Wohnung ist jetzt die einzige verdunkelte, am Abend ist einheitlich Licht. Sie werden den ganzen Tag darauf achten, daß Sie keinen Lärm machen, und bald auf sein Erwachen zu warten beginnen. Am Abend, wenn alles ausgeglichen scheint, fahren Sie ab.

Sie haben nicht den eindeutigen Tag der anderen, und Sie haben nicht die Nacht mit ihm.

5

Der Zug ist noch da, ich greife nach der nächsten Tür, hinter mir schlägt sie selbsttätig zu. Ich dränge mich an Limonadekisten in den Waggon hinein, auf dem Gang merke ich, daß ich im Schlafwagen bin, ich habe aber bereits die erste Klinke gedrückt und werde in die Kabine hineingeschleudert, da der Zug gerade in eine Kurve fährt.

Ich stolpere über etwas, das viel Lärm macht, ich versuche, den Gegenstand zu heben und aus dem Weg zu räumen, damit ich wieder hinausgehen kann, als eine verschlafene weibliche Stimme über mir sagt: »Fallen Sie nicht über mein Bein.«

Ich habe mich so weit an das blaue Licht gewöhnt, daß ich sehen kann, was da vor mir liegt. Wie faßt man eine Prothese an? »Entschuldigen Sie«, sage ich und hebe das Ding, versuche es in die Ecke zu stellen, aber es rutscht immer, weil der Zug schlingert.

Die Frau sagt »Ich nehme es zu mir« und beugt sich herunter. Aus dem Bett weht mich ein wärmlicher Schlafgeruch an, das Nachthemd der Frau ist hochgerutscht, ich sehe einen glatt verheilten Stumpf, der oberhalb des Knies endet. Sie lächelt freundlich und sagt: »Ich dachte, es steigt niemand mehr zu, es drückt sonst, und ich kann nicht liegen. Sonst hätte ich gefragt. Ich wollte auch das untere Bett nehmen, ich nehme immer das untere Bett, aber diesmal waren alle ausgebucht. Und jetzt ist niemand gekommen. Oder ist es Ihres? Oben ist ja auch frei.« »Nein, ich bin hier falsch, ich fahre nicht so weit. Kann ich Ihnen etwas ... helfen?« Ich möchte, daß sie diese verheilte Wunde, diese Verkürzung wieder verdeckt, sie scheint es nicht zu merken. »Da gehen Sie schon wieder, und ich habe mich schon gefreut, daß ich Gesellschaft habe, ich kann in Zügen nie schlafen.« »Nein, ich muß leider gehen, ich möchte Sie auch nicht stören.« »Aber Sie stören überhaupt nicht.« Sie lehnt sich ruhig zurück, sieht an sich hinunter, sieht ihren Stumpf und ohne zu erschrecken schlägt sie das Nachthemd zurecht. »Ach, wären Sie so lieb, würden Sie mir das Wasser reichen?«, sie sagt es, um mich abzulenken. Ich nehme eifrig von dem Stapel einen Pappbecher und will ihn unter den Wasserhahn halten, als ich abgepacktes Trinkwasser zum Zähneputzen sehe, es sieht wegen der Silberfolie wie ein Joghurtbecher aus. Die Frau trinkt einen Schluck, ich warte, bis sie mir den Becher zurückgibt, wünsche ihr eine gute Nacht und gehe vorsichtig an der Prothese vorbei hinaus.

Ich wanke durch den Wagen und habe Mühe, mit meiner Tasche durchzukommen, der Gang ist schmal. Ich falle unmerklich ins Hinken, ohne Schmerzen zu haben. Der nächste Wagen ist ein Liegewagen, an der Tür steht »Nachtruhe! Nicht stören!«, ich gehe weiter, der Schaffner, ein Südländer in einer roten Weste, geht mir heftig gestikulierend entgegen, er möchte mich zurückdrängen, aber als er bemerkt, daß ich hinke, läßt er mich durch, ohne ein Wort. Ich hinke vergnügt weiter, durch den Wagen erster Klasse, in dem insgesamt vier Leute sitzen, während sich im nächsten die Kasernen-Rückkehrer drängen, ich komme kaum durch.

Erst in dem darauffolgenden Wagen finde ich ein halbleeres Abteil, hier sitzen nur drei junge Männer, mit ihren unsinnig weißen schmuddeligen Wäschesäkken, welche die Bundeswehr an Wochenenden durch die ganze Bundesrepublik hin und her schleppt, sie ragen mit ihren Schuhen diagonal in den Raum, lassen mich aber durch, sie ziehen die Beine an. Ab und zu öffnet einer ihrer Kumpel von draußen die Tür und reicht eine Bierdose hinein oder rülpst, möchte sie mitreißen, aber sie haben keine Lust. Ich wollte eigentlich lesen. Der eine ist vertieft in eine Motorradzeitschrift, der andere blättert in der ›Morgenpost‹, der dritte döst.

Es ist sehr stickig, ich stehe auf und gehe nach vorne, dem Pfeil nach, in den Speisewagen, aus dem sich die Rekruten unentwegt Bier holen, übertrieben taumelnd und grölend – aus Prinzip, und weil sie so viele sind. Besonders laut ist es an den Bahnhöfen, wenn neue hinzukommen oder ein ganzer Pulk aussteigt, dann öffnen sie die Fenster, blöken, schmeißen Bierdosen, es geschieht ohne eine besondere Aggressivität, fast gutmütig, sie wirken nicht militant mit ihren Bierbäuchen, sie tragen auch keine Uniformen, nur ihr Verhalten ist einheitlich.

Statt eines Speisewagens finde ich einen Vergnügungswagen, mit Musik, Tanz und einer Bar, mit Girlanden und Konfetti, mit einer ausgelassenen Gesellschaft von Vierzigjährigen, eine Art Betriebsfest ist im Gange; hier hätten es die Molukker mit einem Überfall leicht. Unter lauter Neckereien wird mir eine Dose Cola verkauft; das hohe exponierte Lachen von Frauen in meinem Rücken.

Unter den drei Bundeswehrangehörigen fühle ich mich beinah wohl, jetzt dösen sie alle.

Ich sehe in das Dunkel hinaus, wenn ich die Augen abschirme, kann ich die Konturen von Bäumen und Häusern erkennen, die Kälte von draußen sammelt sich an der Fensterscheibe, ich spüre sie mit meiner Stirn.

Die Lebensmittel werden für Jan reichen, wenn er nicht hinausgehen will oder kann – wenn er überhaupt etwas ißt.

Ich weiß noch nicht, wann ich wieder komme.

Die Klingel läßt sich abstellen, Telefon gibt es nicht, den Schlüssel bekommt der Hausmeister nicht mehr.

Es gibt sicher einen Universalschlüssel zu allen Wohnungen, aber das müßte schon etwas Auffälliges sein – ein Feuer oder Wasser durch die Decke der unteren Wohnung, das passierte nur einmal, aber Jan hat jetzt keine Aquarien mehr. Schlimm ist nur, daß ich irgendwann auf seinen Anruf warten werde.

Die absurde Situation von gestern morgen, als mich ein Mann herausklingelte und fragte: »Ist die Mutter zu Hause?«

Er verkaufte Wäscheklammern, in einer Blindenanstalt gemacht. Wir geben die Wäsche in die Wäscherei, für die Handwäsche reichen die sieben Klammern, die wir haben. Ich sagte, daß ich zwölf Stück nehmen würde. Die kleinste Packung enthielt sechzig. Dafür habe ich keine Verwendung, auch keinen Platz. Der Mann ging ungern, drehte sich noch einmal um, als erwartete er, daß noch jemand anderes in die Tür käme.

Ich stand barfuß da, aber er hätte auf mein Gesicht sehen müssen, mit der vorangegangenen Nacht darin, dem zittrigen Hocken mit Jan in der Küche. Aber er wollte nur etwas verkaufen.

Ich steige mit den Soldaten aus – das Gedränge an der Tür, die Hast, damit sie den letzten Nahverkehrszug noch schaffen. Bei mir ist es die letzte Straßenbahn, seit einiger Zeit kommt der Zug aber immer zu spät an.

Vor dem Bahnhof wartet der alte Türke, der mich hier häufig anspricht. Er weiß, daß ich absage, und versucht es jedesmal wieder, als hätte er an meiner Antwort eine Genugtuung oder als wartete er, daß ich einmal ermüde. Ich glaube, der Grund ist, daß ich überhaupt antworte.

»Du Kaffee trinken mit mir?«

»Nein, danke.«

Heute genügt ihm diese Frage nicht. »Du nicht trinken wollen? Warum nicht? Du allein, ich allein, du kommen.«

»Ich nicht allein«, ich antworte zum erstenmal auf diesen Stil. Er rückt augenblicklich etwas ab, sieht sich auch vorsichtshalber nach einem Begleiter um, aber ich sehe, er glaubt mir nicht. Ich bin zu groß, zu mager, zu dunkel, nicht attraktiv, darin sieht er eine Chance.

Es müßte einmal möglich sein, mit ihm einen Kaffee trinken zu gehen, nach seiner Frau, nach seinen Kindern zu fragen, dann für mich zu bezahlen und ohne Belästigung zu gehen.

Heute bin ich dazu zu müde.

Er ist auch nicht zerstört genug.

6

Das Arno-Schmidt-Seminar läuft schlecht, der überflüssige Student profiliert sich wieder, da der Dozent anwesend ist, und läßt die anderen nicht zu Wort kommen. Ich sage ihm, daß seine Beiträge bisher nur destruktiv waren und daß ich nicht möchte, daß er weiterhin kommt. Darauf folgt die obligate Antwort von der Freiheit der Veranstaltungen für alle. »Für alle, die mitmachen«, »Ich mache doch mit«, »Nein, Sie produzieren sich nur, ohne Rücksicht auf die anderen.«

Der Dozent versucht einzulenken, indem er auf meine letzte Frage zum Text zurückgreift und eine Art Fortsetzung der Diskussion wieder anregt, worauf der Student sofort eingeht, während die anderen stumm bleiben.

Es ist mein Seminar, und mit dem Mann möchte ich endlich sprechen.

Ich werde in die unsinnige Situation gedrängt, über einen Autor zu verhandeln, wo es darauf ankommt, ihn zu lesen. Mich ärgert die Biederkeit der revolutionären Übungen in meinen Seminaren.

Sie kennen Schmidt so wenig, daß sie nicht einmal seine hanebüchene Frauentypisierung bemerkt haben, geschweige seine Rechthaberei, wenn er Joyce gegen Kafka ausspielt – die schulmeisterliche Aufdeckung, daß *Odysseus sich eben nicht die Ohren mit Wachs verstopft habe,* wie es in ›Schweigen der Sirenen‹ steht.

Kafkas Versetzungen haben eine verborgene Rechtmäßigkeit, zeigen, wie der Mythos nach der Durchbrechung seiner vorlaufenden Bilder weiter besteht.

In der Geschichte ›Das Stadtwappen‹, die den Turmbau von Babylon anführt, wird die vorbedachte Orga-

nisation des Ganzen erwähnt – Wegweiser, Arbeiter-
unterkünfte, Dolmetscher. Aber Dolmetscher wurden
benötigt erst nach dem Scheitern des Projekts, in der
Sprachverwirrung.

Der Vorgriff kann mehreres bedeuten: Entweder
war die Sprachverwirrung, die Differenzierung der Rede voraussehbar oder sie war als Ziel des Unterneh-
mens eingeplant; oder Kafka reflektierte seine örtliche
Situation, das Gemisch von Tschechen, Juden und
Deutschen – Prag hat eine Faust im Wappen.

Ich erzähle davon der Behindertenpädagogin, mit der
ich mich nach dem Seminar treffe.

Sie sagt: »Entschuldigen Sie, aber Sie kommen herein
und fangen sofort an, von einem Wappen zu erzählen,
das ich nicht kenne, ich kenne von Kafka nur die zwei
Romane und einige Erzählungen, diese Geschichten
kenne ich nicht und verstehe sie auch nicht ganz, und
Sie kommen und fangen an, davon zu erzählen, als
müßte jeder wissen, was Sie meinen.«

Das wäre ihr bereits in meinen Kafka-Seminaren auf-
gefallen; ich risse die Texte mit rücksichtsloser Intensität an mich und würde den Studenten wenig Gelegen-
heit geben, Fehler zu machen. »Die Studenten brauchen aber diese Fehler, ohne sie können sie sich die
Probleme nicht aneignen.«

Diese Einstellung ist mir zu mütterlich, außerdem
machen die Studenten kaum eigene Fehler, sondern
wiederholen meist fremde. Wenn ich ihnen einen Text
gebe, z. B. ›Die kaiserliche Botschaft‹, und sie frage,
wo er spielt, transponieren sie die Geschichte sofort
auf eine symbolische Ebene, erinnern sich, was sie
über Kafka gehört oder gelesen haben – seine Trans-
zendenz, seine Metaphysik –, und sind nicht imstande,
den konkreten Inhalt zur Kenntnis zu nehmen. Auch
wenn ich ihnen die Merkmale aufzähle: der Kaiser, das

Sonnenzeichen auf der Brust des Boten, die Residenz-
stadt, die Menschenmassen, das Reich, die Mitte der
Welt – weigern sie sich, es mit irgendeiner Realität in
Verbindung zu setzen. Es geht ja nicht darum, daß das
alles ist.

Am Ende sagt ein Student: »Wenn das in China
spielt, dann können wir nach Hause gehen.«

»Ja, es ist schwierig. In der Behindertenpädagogik
haben wir überhaupt Mühe, die Studenten zum Lesen
zu bringen, dabei gibt es gerade in der Literatur so
viele Beschreibungen von Zerstörungen, ich habe eben
an Kafka denken müssen, an ›Die Verwandlung‹ z. B.,
es ist natürlich bereits transponiert, wie Sie vorher gesagt haben, aber so drastisch, daß ich diesen Text be-
handeln möchte, um auf die Zusammenhänge aufmerksam zu machen.«

Mir gefällt ihre Direktheit, auch eine gewisse Unbe-
denklichkeit, mit der sie Kafka behindertenpädago-
gisch angeht und für einen Transfer sorgen möchte.
Ich überlege, ob ich mich mit ihr befreunden kann –
ich vermisse hier Frauen.

Ich sage für das Projekt zu.

›Die Verwandlung‹ scheint mir dafür zu plakativ, eine schwächere, alltäglichere Zerstörung wäre ange-
messener. Im ›Bau‹ z. B. geht es um ein Wesen, das
allein leben möchte und glücklich ist, wenn es sich die
Stirn an der festgestampften Wand blutig schlägt, weil
es weiß, daß sie jetzt auch allen Fremden standhält. In
einer solchen Lage ist nicht weniger Zwang als in einer
Körperlähmung oder Beinlosigkeit.

Während ich darüber nachdenke, telefoniert sie, zum
Schluß ruft sie noch ein Taxi. Auf meine Vorschläge
meint sie, sie müßte sich die Texte genau ansehen, und
wir sollten uns die Sache zuerst methodisch überlegen.

Sie ist zierlich, drahtig, resolut, sie hat etwas taktmä-
ßig Grammatisches; ihre Publikationen sind bei ande-

ren Dozenten Seminarlektüre. Ich merke ein leichtes Zittern ihres Kinns, wenn sie fachlich argumentiert.

Wir fahren zu ihr, sie wohnt nahe. Im Taxi schlägt sie vor, daß wir uns duzen. Es ist hier wenig Platz, abzulehnen, zu erklären, daß für mich das Duzen keine größere Nähe oder Herzlichkeit bedeutet. Sie läßt sich eine Quittung ausstellen.

In ihrer Küche setzt sie Kartoffeln und Gemüse in einem Papinschen Topf an, es geht schnell. Ich wollte in der Mensa Scholle essen, aber wir haben beide wenig Zeit. Während ich zum Thema zurückkehre, stellt sie ihre Pillen zusammen und trägt das Geschirr her. Ich schwanke zwischen dem Versuch, weiter zu erklären, und dem Zwang, ihr zu helfen.

Nach dem Essen kocht sie mir Kaffee und für sich einen Diättee, wir trinken im Wohnzimmer aus alten zierlichen Tassen an einem gedeckten Tisch mit Kerzen und Blumen, sie hat einen Kuchen gekauft, von dem sie sich selbst nur symbolisch ein Stück auf den Teller legt.

Der Raum ist groß, ich sehe mir das Bücherregal an. Sie hat die Bücher thematisch nach ihren Projekten geordnet, viel Theorie, wenig Belletristik, zwei Reihen voll Leitz-Ordnern. Das soll nur die Hälfte sein, der Rest ist noch verpackt, sie ist erst vor vierzehn Tagen eingezogen, und das andere Zimmer muß erst noch eingerichtet werden.

Sie hat einen unter der Tür durchgehenden Teppich-boden, darüber liegt noch ein Teppich, auf den sie mich aufmerksam macht, er ist wahrscheinlich alt und kostbar, orientalisch, mit ungewöhnlich viel Gelb. Sie hat ihn in den Ferien in St. Gallen bei einer Auktion gekauft. Er war sehr günstig, weil der Auktionator sich verkalkuliert hatte. Er hatte eine Etage in einem Hotel gemietet und damit gerechnet, daß die Kosten durch den Verkauf leicht gedeckt werden, aber die Leute, die kamen, wollten nur gucken, es waren Touristen, die nichts Umständliches kaufen, sie hatten wohl auch nicht genug Geld mit. »Gebetbücher aus dem Orient, original, alt, er dachte, er würde bei einem Angebot anfangen – 100 Franken, nichts, achtzig, nichts, sechzig, vierzig, zwanzig – für zwanzig Franken wollte sie niemand haben.«

Wieviel ihr Teppich gekostet hat, frage ich nicht, nur nach den Kosten des Teppichbodens – 1600 DM als Sonderangebot. Sie hat sich unlängst ein Auto gekauft, darin den Teppich aus der Schweiz gebracht, dort auch noch einen alten Tisch gefunden, den sie aber nicht mitnehmen konnte. Der Transport kostete 600 Mark.

Ich merke, wie ich von dieser Tüchtigkeit und ihrem praktischen Sinn eingeschüchtert bin. Sie kann fast alles allein reparieren, als Kind hatte sie den Vater vertreten, immer wenn ihre Mutter etwas Neues kaufen wollte, ein Handtuch z. B., sah sie erst im Wäscheschrank nach, ob sie wirklich ein neues brauchten.

Es ist sehr schwierig, bei ihr jetzt ein anderes Thema durchzusetzen, es bleibt bei der Wohnungseinrichtung. Ich möchte gehen, aber sie führt mich noch in das andere Zimmer, ich soll drei verschiedene Grünstreifen vergleichen, sie will das Zimmer streichen. Sie ist methodisch, sie möchte jetzt auf keinen Fall über Literatur sprechen, sie muß sich erst eine Übersicht verschaffen.

Ich bin mit ihr angespannt, wie sie es mit mir schon die ganze Zeit ist.

Die Lehrerin, mit der sie das Haus teilt, kommt mit ihrem Freund, sie wollen später alle französisch essen gehen. Sie laden mich ein. Der Volkswirtschaftler, der seit Jahren über die neue französische Linke arbeitet, gibt mir die ersten Seiten seines Manuskripts. »Diese Last fällt m. E. völlig auf die Schultern der Arbeiter«, steht in der Einleitung. Einerseits »Erachten«, andererseits »völlig« – der bürgerliche Stil der Linken.

Besucher in Prag 1968, Studenten, es kamen viele; sie begrüßten das politische Klima, waren aber von den kleinbürgerlichen Neigungen der Bevölkerung enttäuscht. Nachdem sie ihre radikalen Vorschläge dargelegt hatten und uns erklärten, wie wir vorzugehen hatten, fuhren sie ab, mit billig eingekauftem Tuzex-Whisky und Zigaretten auf den Rücksitzen, lässig winkend – »o. k., alles klar?«

Ich sah im August deutsche Touristen die tschechische Fahne küssen und vor den Russen aus ihrem Bus schwenken; der Fahrer hupte gegen die Okkupanten.

Bevor ich gehe, frage ich noch, was ich von Anfang an wissen wollte und wozu ich wegen ihrer Teppiche und wegen ihres Tremors nicht gekommen war: »Hast du schon einmal in einem Rollstuhl gesessen?«

Einmal fuhr ich noch mit ihr im Auto, es war naß und dämmrig, unterwegs überfuhr sie einen Frosch. »Entweder er oder ich«, sagte sie.

7

Hinter den Fenstern, in die ich hineingucke, sieht es überall gemütlicher aus als bei mir. Ich fröstle. Ich möchte in den verwohnten Souterrainküchen der Wohngemeinschaften hocken, die umständlichen Hantierungen am Herd mitmachen, bei ihren langen Frühstücken sitzen.

Ich bin so früh aufgestanden, daß ich nicht weiß, was ich mit dem Tag anfangen soll. Ich nehme die Gardinen von den Straßenfenstern ab und weiche sie ein. Sie sind von der Ölheizung so verrußt, daß auch das zweite Wasser braunschwarz wird und ich mich freue, daß es sich gelohnt hat.

Die ungewohnte Arbeit macht mir Spaß, so daß ich auch noch die Fenster putze und schon beim ersten Streifen mit dem nassen Lappen merke, wie trüb sie waren, wie nahe die andere Straßenseite ist. Die Frau drüben, auch schon auf, deutet es offensichtlich als meine Rückkehr in die Straßengemeinschaft. Sie schlägt ihre Gardine zur Seite und nickt mir aufmunternd zu, ruft auch etwas, ich habe den Eindruck, daß sie mir gratuliert. Ich nicke zurück, ich habe jetzt keinen Schutz und fühle mich gesehen, auch aus den anderen Fenstern. Nach einer Weile merke ich, daß ich ein freundlich konzentriertes Gesicht habe und das Vergnügen, das mir die Arbeit nicht mehr macht, mime.

Im Laufe des Vormittags beginnen noch zwei andere Frauen, ihre Fenster zu putzen; die Frau drüben nicht, ihre Fenster sind geputzt. Es ist für die Augen ungewohnt angenehm, ohne das Flimmern der Gardinen die Straße zu sehen.

Auf dem Bürgersteig sammeln sich vor dem verschlossenen Tor der Speditionsfirma Friedrich A. Flamme die Angestellten und warten auf den Inhaber oder auf denjenigen, der die Schlüssel hat, um sie einzulassen. Ein Mann, der als erster kam, hat seine Tasche an die Mauer gelehnt und sieht frisch vor sich hin, bereitet ein fröhliches Lächeln für seine schlüssellosen Kollegen, um zu überspielen, daß er am längsten wartet.

Bei Karstadt frage ich nach »Stark Jod Kaliklora«, einer Zahnpasta. Die Verkäuferin nimmt mich nicht wahr, erst als ich die Frage wiederhole, sieht sie mich zerstreut an und antwortet abrupt »Das habe ich nicht«, als würde ihr hier noch etwas anderes gehören als ihre Stehbeine mit Krampfadern. Ich irre noch eine Weile zwischen den Regalen, erinnere mich, daß die Zahnpasten beim letzten Mal auf der anderen Seite waren, wo jetzt Shampoos und Haarpflegemittel sind. Die Zahnpastenreihe ist kurz, auf der anderen Seite des Regals fängt Markenkosmetik an – Ellen Betrix, Juvena, Max Factor; noch weiter von den Gebrauchsartikeln entfernt, meist in Vitrinen Helène Rubinstein, Dior, Y. St. Laurent. Die Kosmetikabteilung endet mit Bürsten, »Kulturtaschen« in einem Wandregal und Spiegeln.

Ich weiche einem Rollstuhl aus. Die Frau zeigt zu den Taschen, wird hingeschoben, nimmt sie einzeln vom Regal und legt sie weg. Die Verkäuferin, die mir kaum geantwortet hat, kommt ihr lächelnd entgegen: »Darf ich Ihnen behilflich sein?« Sie reicht ihr die Tasche herunter, greift nach weiteren, öffnet die Reiß- und Knippverschlüsse, zeigt das Volumen, die innere Einteilung, legt sie der Frau zum Betasten hin, nimmt die Durchgesehenen zurück, bückt sich und holt aus dem Vorratskasten unter dem Regal einen weiteren Stapel.

Die Frau bekommt so viel Aufmerksamkeit – von der Verkäuferin und von dem Mann, der sie fährt –, und sie nimmt es als selbstverständlich hin.

Ich suche nach dem nächsten Ausgang, sehe mich noch einmal nach der Frau um, sie hat keine Tasche gekauft, sitzt in ihrem Rollstuhl, während die anderen sich durcheinander drängen, ihr aber noch in der dichtesten Menge Platz machen.

Vor dem Ausgang sehe ich das Regal mit Watte und hygienischen Artikeln und erinnere mich an Bodil auf Femø, die ihre Binden und Tampons grundsätzlich stahl – »den Blutsaugern werde ich nicht noch Geld in den Rachen stopfen, die Kapitalisten verdienen auch noch an unserer Menstruation«.

Ich fühle mich sofort verpflichtet, das wirklich einzusehen. Ich gehe zu dem Stapel mit Tampax, finde aber in der üblichen Packung nur die »extra« Größe, während die »normale« Größe nur in Vorratspackungen vorhanden ist. Ich mag keine Vorräte, außerdem menstruiere ich gerade nicht. Ich will den Entschluß festhalten und suche Ersatz; alles erscheint mir unnütz. Ich nehme halbherzig eine Nina Ricci Seife, der Packung wegen, im Preis das Zweifache der Vorratspackung. Ich habe den Eindruck, meiner Rache an den Konzernen nichts schuldig geblieben zu sein, und gehe mit der Seife auf der Hand zum Ausgang, langsam, darauf wartend, daß mich jemand anhält, aber es kümmert sich wieder niemand um mich, und so verlasse ich verstört das Kaufhaus; draußen unterdrücke ich den Impuls, damit zurückzukehren.

Zu Hause sehe ich die Seife ratlos an, ich kann mich damit nicht waschen. Nach drei Tagen stecke ich sie nachts der Frau drüben in den Briefschlitz; mit Bedauern höre ich, wie die hübsche Schachtel auf den Boden des Flurs kracht.

Am nächsten Morgen sehe ich fasziniert, wie die

Frau einen Wassereimer auf den Fensterbord stellt und ihr Fenster zu putzen beginnt.

Ich bin mir bewußt, daß ich im doppelten Sinne versagt habe: einmal vor Bodils feministischem Anspruch, zum zweiten vom Technischen her, verglichen mit Geneviève, die es geschafft hat, ein Wagner-Album von einem Bouquinistenstand zu entwenden. – La Walkyrie volée.

Geneviève und Greta in Paris.

»Elle est gâtée«, sage ich, »spoiled, verwöhnt.«

»Tu exagères«, antwortet Geneviève.

Die Katze ist sehr biegsam, sehr elegant. Neben dem Eßtisch ist ein schmales vergittertes Fenster, sie schlängelt sich durch das Gitter mit hochgehobenem Schwanz, balanciert auf dem schrägen schmalen Sims und erweckt Bewunderung, was sie weiß. Dann springt sie blitzschnell auf den Tisch, tatscht sich aus dem Buttertopf eine Pfote voll und verschwindet mit dem Klumpen unter dem Tisch, wo sie ihn im Schutz von Genevièves Füßen laut schleckt. Geneviève erzählt stolz, daß sie einmal die Butter ins Gesicht geklatscht bekam, als Greta feststellte, daß sie ranzig war; Margarine mag sie auch nicht.

Greta ist vierfarbig, sehr schön, gerissen. Geneviève kaufte sie in einem Tierladen, es waren eigentlich nur Käfige auf der Straße aufgestellt, mit allen möglichen Tieren nebeneinander, Vogelkäfige neben Katzen- und Hundekäfigen, einige Tiere bereits tot, umstanden von Passanten, die Pariser nehmen das nicht tragisch.

Sie sitzt den ganzen Tag am Fenster und sieht in die Straße hinaus, wie eine alte Frau, erkennt Genevièves Auto bereits unten in der Straße am Klang des Motors. Sie ist die Sorte Katze, die nie aus der Wohnung kommt, einmal ließ eine Freundin sie hinaus, damit sie Auslauf hat; Greta rannte gleich zum ersten Baum und mußte dann von der Feuerwehr heruntergeholt werden.

Sie ist vom ersten Augenblick an eifersüchtig. Als ich sie streicheln will, verpaßt sie mir einen Kratzer, der sofort blutet. Ich bin es gewöhnt, daß meine Kater und alle anderen Katzen, die ich kenne, die Krallen einziehen, wenn ich mit ihnen spiele, manchmal, im Eifer des Spiels, kratzen sie auch, aber das ist kein Vergleich. Greta kratzt vorsätzlich. Als ich Handschuhe anziehe, um sie zu heben, wird sie so wütend, daß sie mich durch den Handschuh beißt und sich dann unter das Bett verkriecht. Ich lange nach ihr, aber sie ist in die entfernteste Ecke verkrochen, wohin ich nicht langen kann, weil das Bett zu niedrig ist. Als ich die Hand zurückziehe, schafft sie es noch, mich am nackten Unterarm zu kratzen.

Die zweite Runde geht an die Katze.

Die dritte gewinnt sie spektakulär, als sie Geneviève, die sich bückt und besorgt »Greta« ruft, ins Auge tatzt, das sich sofort mit Blut füllt. Ich schiebe außer mir das Bett beiseite, aber die Katze ist bereits herausgeschossen und verschwindet treppab im Bad, Geneviève hält mich zurück.

Es ist halb eins nachts, wir fahren in eine Klinik, Geneviève lenkt, das rechte Auge mit Pflaster zugeklebt, unter dem das Blut auf die Wange sickert, ich wische es während der Fahrt ab und informiere sie über die rechte Verkehrshälfte. Ich bewundere, mit welcher Sicherheit sie sich mit dem einen Auge in den Strom am Étoile einreiht und noch Platz für die anderen macht, indem sie die Autos hinter sich bremst und die Einlenker hineinläßt. Mit der Behinderung ist sie immerhin gezwungen, den Volant mit der Hand zu halten und nicht mit dem Knie zu lenken, wie sonst.

Wir sind beschwingt, wie immer, wenn wir zusammen sind, ich mache mir Sorgen wegen Genevièves

Auge, glaube aber nicht, daß etwas ernsthaft schiefgehen könnte. Wegen Greta bin ich wirklich bedrückt, ich habe noch nie eine Katze umgebracht. Geneviève macht sich auch Sorgen wegen Greta, sie möchte sie für die nächsten Tage zu einer Freundin geben, um sie vor mir in Sicherheit zu bringen.

Ich schlage vor, daß wir sie aussetzen, in Fontainebleau, oder sonstwo, wo es noch ein paar Bäume gibt, dafür müßten wir allerdings weit fahren. Geneviève sieht mich an, als wäre ich eine Mörderin, ich sage, »es ist besser, als wenn ich sie wirklich umbringe«. Sie ist zwar geschmeichelt, aber sie hängt an der Katze. Wir streiten deshalb, und Geneviève bringt es fertig, wieder so zu bluten, daß ich aufhöre.

Als wir die Klinik betreten, ist unser größtes Problem Greta. »Wenn du blind wirst, wirst du schon sehen«, sage ich idiotisch, und wir müssen lachen.

In der Augenklinik ist auch zu dieser Zeit viel Betrieb, wir warten bis viertel drei. Genevièves Auge wird genäht, zum Glück ist es nicht die Pupille, sondern eine Ader unter dem Lid, die Naht geht bis zur Mitte der Lederhaut, eine grüne Zickzacklinie, die zu Genevièves Augenfarbe paßt und ihr etwas Mysteriöses verleiht. »Très chic«, finden wir beide.

Der Arzt meint, »gut, daß Ihre Schwester Sie fahren kann«, sie wiederholt es mir mit einem gewissen Stolz, ich bin etwas indigniert, weil ich einen halben Kopf größer bin und magerer, sonst könnte es mir eher schmeicheln. Ich nehme mir wieder fest vor, es endlich zu lernen, also chauffiert wieder Geneviève.

In der Wohnung ist von der Katze keine Spur. Wir sind so aufgekratzt, daß wir nicht schlafen können, wir sitzen oben im Wohnzimmer und erzählen uns historische Begebenheiten im Leben unserer Eltern.

Als mein Vater noch Lehrling bei einer Textilfirma war, mußte er häufig in einem Galanteriegeschäft Kurzwaren einkaufen – Knöpfe, Spangen, komplizierte Ösen und Haken, Bordüren, Posamente – alles, was Hermann Kafka in seinem Laden unten im Kinsky-Palais geführt hatte. Ich fragte ihn einmal, ob er dort nicht manchmal ein Kind, einen schmächtigen Jungen mit traurigen Augen auf der Treppe gesehen hatte. Mein Vater überlegte einen Augenblick und dann sagte er: »Ja, ein kleiner dunkler Junge saß dort oft, er war sehr höflich und scheu.«

Ich sah ihn mit Ehrfurcht an, fast mit Neid; er hatte also noch Kafka als Kind gekannt. Erst nach einiger Zeit rechnete ich nach, daß Kafka bereits tot war, als mein Vater dort Posamente einkaufte, er hat also bestenfalls den alten Hermann Kafka noch gesehen. Mir ist aber mein Vater schwerer als Lehrling vorstellbar als Kafka als Kind.

Genevièves Mutter geriet eindeutiger in die Nähe der Geschichte. Sie war Berberin, als junges Mädchen brachte sie einmal in Algerien die gereinigte Militärmütze de Gaulles in sein Haus. Es öffnete seine Frau, die später legendäre Nationalwitwe Yvonne.

»Also auch in der Résistance hat de Gaulle auf sein Äußeres geachtet, und deine Mutter war dabei!«

Wir lachen so, daß Genevièves Naht platzt, ich sehe fatal gebannt zu, wie sie in Tränen und Blut fortgeschwemmt wird, und sage zu Geneviève in unserem basic idiom: »You can say to your ... *zigzag* ... good bye.« In dem Augenblick kommt unter dem Bett Greta hervor, mit hochgehobenem Schwanz, und sagt unsicher »mau«.

Daraufhin geraten wir in Lachkrämpfe, und jeder Anblick von Greta steigert sie; die rennt verstört in die Küche, das ist auch sehr komisch. Genevièves zweites Auge ist voll Tränen, ich erwarte fast, daß es im nächsten Augenblick platzt, und gehe zu ihr, umarme sie, versuche sie zu beschwichtigen, obwohl ich selber das Lachen schwer unterdrücken kann, allmählich beruhigen wir uns, ich hole das Verbandszeug und verklebe das verletzte Auge.

»Francine, ma reine sauvage, tu es si tendre.« Ich nehme mir vor, Greta zu tolerieren.

Geneviève ist entspannt, mit der Augenverletzung fühlt sie sich vor meinen Zornausbrüchen sicherer. Sie flötet ein kurzes Liedchen, das sie mir häufig auf Femø spielte.

Auch an uns ist die Geschichte nicht unbemerkt vorbeigegangen. Auf Femø erlebten wir eine bekannte Frauenrechtsjournalistin aus Deutschland, wie sie an der abendlichen Essens-Schlange vorbei nach vorn ging und mit Podiumsstimme forderte: »Also, Weiber, wo ist das Essen?«

Zehn Tage später beim Internationalen Frauenfestival in Kopenhagen – Angela Davis ist auch präsent: Sie kommt in einer Limousine eine dreiviertel Stunde später als angekündigt, tritt schwungvoll auf die Bühne, ballt die Faust gegen das Publikum, das begeistert erwidert, dazu die Schmetter-Worte: freedom, sisterhood, brotherhood, black and white together, peace. Auf jedes Wort reagiert die Menge, als hätten sie es noch nie gehört. Auch Sätze kommen vor, von der Qualität »I am happy to be here«.

Danach, als Abschluß, trägt sie ein Gedicht einer schwarzen Schwester vor, dessen Gedanke darin besteht, daß nach jeder Strophe, in der das Elend etwas variiert wird, der Refrain »I am nobody« kommt; die letzte bringt die Wende, den entschiedenen Ansatz, zurückzuschlagen, so daß das Gedicht mit »I am somebody« enden kann. Sie liest auch das vor, endet mit erneut geballter Faust, klettert dann vom Podium,

winkend und breit lächelnd geht sie zum Auto zurück –
ein paar Händedrücke unterwegs, noch einmal winkt
sie hinter der Fensterscheibe –, dann wird sie davon
gefahren.

Ein großer Tag für die Zehntausend.

Sartre in Prag war normal, selbstverständlich klug.

Geneviève hat ihn noch nie in Wirklichkeit gesehen.
»Du mußt nach Prag kommen.«

Wir entwickeln unsere imperialen Vorstellungen von
der Vereinigung Europas mit den Hauptstädten Prag
und Paris.

Gegen Morgen schlafen wir ermattet in Genevièves
großem Bett ein. Nach einiger Zeit spüre ich leichte
Pfoten über die Decke vorsichtig tappen und höre lautes Schnurren; Greta beschnüffelt mich und schmiegt
sich an Genevièves Hals, schnieft mir ins Gesicht. Als
ich mich beim Wegdrehen orientiere, sehe ich sie Genevièves Gesicht ablecken, besonders eifrig das ver-
krustete Pflaster. Ich will sie wegschubsen, aber Geneviève hält sie fest im Schlaf und lächelt.

Eine Woche lang versorge ich sie beide. Geneviève will
nicht wieder in die Klinik, sie muß wegen des Auges
vorsichtig sein, Greta muß fressen, außerdem hat sie
ihre »chaleur« und quält sich.

Seit ein paar Tagen höre ich meine Hüfte wieder
knacken. »You are limping! What's the matter?« fragt
Geneviève. »Nothing, it's just … temporary«, antwortete ich. Für eine genaue Erklärung reicht unser Englisch
nicht aus.

Geneviève muß einmal in den Kindergarten, wo sie
an drei Vormittagen in der Woche arbeitet.

Wir steigen über kleine Kinder, die auf dem Boden
in einem engen dunklen Raum liegen, unnatürlich ruhig, sie drehen nur die Köpfe neugierig nach uns. Ein

junger Mann sitzt auf einer Turnbank und blättert in einer Zeitung, grüßt uns freundlich. Ein verschmitzter fünfjähriger Junge sagt »Bonjour, madame«, als ich über seine Beine steige. Ich zwinkre ihm zu, und er lacht. Die Kinder recken die Hälse und sehen mir nach und tuscheln dann noch. Der Nebenraum ist etwas größer, hier stehen zwei zwanzigjährige Mädchen am Piano angelehnt und unterhalten sich ruhig. Sie grüßen Geneviève, alle küssen sich auf die Wangen, auch ich werde geküßt.

Ich frage Geneviève, warum die Kinder dort auf dem Boden liegen. Sie sagt, »Pierre läßt sie sich entspannen«. »Wieso entspannen, sie brauchen eher Bewegung, außerdem können sie sich erkälten.« Es ist Dezember, und der Raum ist nicht übermäßig warm. Endlich kommen sie, es sind meist kleine Algerier, alle sehr schön. Die Mädchen unterhalten sich weiter. Die Kinder sind sehr still, stehen in Gruppen, ab und zu lacht eins gedämpft, hascht nach dem anderen, aber verstohlen, sie sehen sich nach den Erwachsenen um. Die zwei Mädchen mahnen sie auch unvermittelt aus ihrem Plaudern heraus, die Kinder verstummen sofort, bald geht das Getuschele aber wieder los. Plötzlich schreit Adele, weil ein Junge einen Reifen aus dem Regal genommen hat, dann höre ich auch Geneviève vom Gang her schreien, ich gehe hin, sie steht in der offenen Tür der Toilette und schimpft drei kleine Jungen aus, die dort den Wasserhahn laufen lassen und sich vergnügt bespritzen. »Guck dir an, was sie schon wieder gemacht haben, die Putzfrau wird dann wieder uns beschuldigen.«

Ich gehe ohne ein Wort zurück, durch die offene Tür sehe ich Pierre seine Zeitung zusammenfalten, er sieht auf und winkt mir lächelnd. Ich nehme aus dem Regal einen Ball und werfe ihn einem kleinen Mädchen zu, sie ist so überrascht, daß sie ihn fallen läßt. Sofort kommen die Kinder angelaufen, mit erwartungsvollen Gesichtern, sie strahlen. Ich zeige, sie sollen einen Kreis bilden, wir spielen »Hirsch«, einer stellt sich in die Mitte und die anderen versuchen, ihn mit dem Ball zu treffen, wer getroffen hat, geht selber hinein. Die Kinder sind von diesem alten, einfachen Spiel hingerissen, sie lachen und vergessen die Erwachsenen, ab und zu kommt eins zu mir, umarmt mich schnell und rennt wieder in den Kreis, zuerst nur Mädchen, dann auch Jungen. Ich drehe mich um und gehe auf die Toilette, und dort zwischen den winzigen Kinderklos heule ich, zwei kleine Mädchen laufen mir nach und wollen wissen, was mit mir ist; ich wasche mir schnell das Gesicht, nehme sie an der Hand und wir gehen zurück.

Diese Kinder sind das Schönste, was ich in Paris gesehen habe.

Nach dem Besuch habe ich mit Geneviève den ersten Krach. Sie mag keine Kinder, sie hat vor ihnen Angst, die beiden Studentinnen machen es auch nur als Job, Pierre ist homosexuell, für ihn sind Kinder ein *horreur*, sagt Geneviève – als gäbe es da einen zwingenden Zusammenhang, er ist ein guter Fotograf, muß aber von etwas leben, Geneviève hat nach ihrem Philosophiestudium auch keine Chance, eine Stelle zu bekommen.

Sie beklagt sich, daß die Eltern die Kinder nicht rechtzeitig abholen, obwohl die Frauen meist zu Hause sind und es schaffen könnten, aber sie haben noch einen Haufen Kinder zu Hause und sind froh, wenn sie eins los sind. »Und die Kinder sind dumm«, sagt sie, »stell dir vor, ich schicke ein Mädchen, weil sie mich schon genervt hat, um die Ecke, sie soll dort nachsehen, ob ich da bin, und sie geht wirklich.«

Daraufhin werde ich wütend. »Geh zurück nach Aix, mach dort dein CAPES oder sonst was, aber laß die Kinder in Ruhe! Ihr sollt es hier anderen überlassen, die gern mit Kindern sind, es gibt genug Arbeitslose!«

»Ihr in Deutschland mit euren antiautoritären Bälgern!« schreit sie zurück.

»Ja, ich mag sie auch nicht, außerdem sind es nicht meine!, aber diese Kinder hier sind schön, und ihr schüchtert sie ein, mit euren blöden Witzen und wegen eurer Bequemlichkeit!«

Es ist mein letzter Tag hier. Wir bemühen uns um einen besseren Ausklang; Geneviève schlägt vor, daß wir essen gehen. Wir fahren in die Stadt.

An einer Straßenecke sehen wir einen Clochard, der mit einer künstlichen Ratte Vorbeigehende so geschickt erschreckt, daß ein Kreis Zuschauer um ihn zusieht und ihn willig bezahlt, wenn er nach jedem gelungenen Streich mit seinem Hut die Runde abhumpelt. Seine Opfer sind überwiegend alte Frauen, zweimal junge Mädchen. Er kommt mit seinem Hut auch zu uns. »C'est impossible, ce que vous faites«, sage ich zu ihm. Was er antwortet, verstehe ich in dem weinigen Schwall authentischen Französischs nicht, Geneviève aber sieht mich wütend an und zieht mich aus dem Kreis.

In unserer Mischung aus Englisch, Französisch und Tschechisch sagt sie: »Du kommst in ein fremdes Land und fängst sofort an, alles umzukrempeln, statt dich anzupassen. Natürlich ist es unmöglich, was der Mann macht, aber das kannst du ihm doch nicht so sagen, er ist doch ein Invalide!«

Geneviève sagt das Wort mit der Ehrfurcht, die im Dôme des Invalides konserviert ist und mich mit dem ganzen pompe funèbre der morschen und verschlissenen Fahnen dort anwehte. Ich bin in dieser Stadt so reizbar, daß ich zurückschreie: »Ich habe von euren Invaliden definitiv genug, ich lasse mich davon nicht mehr erpressen, auch von deiner blöden Katze nicht, es ist mir egal, daß sie die Ruhr hatte und unter sich schiß, als du sie aus dem Käfig gerettet hast. Und dieser Mann hier macht andere kaputt, weil er selber kaputt ist, und läßt sich dafür noch bezahlen. Und diese Voyeure honorieren es auch noch. An Männer traut er sich nicht heran, nur an alte Frauen, und das finden sie witzig. Es ist eine Sauerei, schlimmer als sein Humpeln!«

Dann nehme ich es schon in einem Atem: wie hier die Leute die Hunde auf den schmalen Bürgersteigen scheißen lassen, sie an der Leine halten und zusehen – wie es hier keine Bäume mehr gibt –, die Begradigung der Seine-Ufer, der Nepp, die stupide Einbildung auf gute Küche, wo man hier kaum atmen kann, Genevieves versnobtes Festhalten an Paris, wo sie hier in einem Loch neben dem Badezimmer schläft und die eigentliche Wohnung an eine Amerikanerin vermieten muß, weil sie sonst die Miete nicht bezahlen kann.

»Dégueulasse! Tout!«

»Je suis bouleversée«, sagt Geneviève.

Die Katze hat mich bereits seit einiger Zeit mit Nachsicht behandelt. Sie läßt sich von mir Futter geben, vor Geneviève umschmeichelt sie mich sogar, in ihrer Abwesenheit faucht sie und schlägt nach mir, wenn ich mich nähere, geht aber nicht mehr aus dem Zimmer.

Als ich aufbreche, steht Geneviève unsicher vor mir, während Greta ihr mit den Vorderpfoten auf den Füßen tretelt und laut schnurrt.

Geringe Anpassung?
Ich hinke ja!
Gestern habe ich mir Rollstühle angesehen.

8

Allan Petterssons Symphonie Nr. 6. Ich sehe Prag ver-
eist, im Dreißigjährigen Krieg verloren, ausgeraubt,
leblos, der Codex argenteus in der Satteltasche eines
schwedischen Offiziers, der sich den Weg mit Säbel-
hieben erzwungen hat – ein militanter Bibliophiler, ein
Ablaßkrämer, der ein Geschäft wittert, ein Prälat im
Harnisch –, und immer weitere Schneeschichten, bis
zum Horizont ist alles erstarrt unter einem Eissturz, es
bewegt sich schon lange nichts mehr, nur der Wind,
der meine Stadt unter Eis legt.

Auf der Südseite des Berges Petřín sehe ich in einem
verlassenen Steinbruch einen Menschen liegen, über
einen Stein rückwärts gelehnt, mit einem Messer in der
Brust, spitze Knie unter dem festlichen Anzug, erstarrt
in der Erfrierung, die gebrochenen Augen von undefi-
nierbarer Bleichheit, im Frost nicht ganz ausgelöscht,
sie starren zum Himmel, zeigen aber in der Rückbie-
gung des Kopfes in den Spalt, der in der abgesprengten
Wand geöffnet ist; ich gehe in der Richtung dieses
ehemaligen Blickes, krieche vor dem Eiswind in den
Felsen.

Ich gehe tiefer in den quer durch den Berg angeleg-
ten Spalt, der nie völlig ohne Licht ist, auch wenn es
nur spärlich hineindringt. Nach mehreren Biegungen,
in denen ich mich an den schrägen Wänden vorbeitas-
te, schließt sich der Fels über mir, ich bin in Dunkelheit, die sich erst allmählich in eine tiefe Dämmerung
verwandelt, durch einen schwachen entfernten Schein.
Nach einer unbestimmten Zeit trete ich auf ebenen
Boden, der Gang wird zu einem Flur, der sich mit
einem anderen kreuzt und zu einem gemauerten Keller
erweitert. Dahinter erstrecken sich weitläufig die Kata-

komben, mit dicken Säulen, kantigen dunklen Nischen, einem Modergeruch, der sich unter der niedrigen Decke hält.

Ich bin unter der Burg, in der Gruft der Kaiser, Könige und Königinnen, nur dem Schein nach Vorfahren, alle jünger als ich.

Zwischen den Sarkophagen liegen angenagte Knochen, frischer als die aufbewahrten verfallenen Gebeine, an einem hängen noch Sehnen und Muskelfetzen vom weißlichen Kugelgelenk, vielleicht der Schenkel eines Rinds, es riecht nach Raubtieren, und ich weiche zurück, als ich einen lautlosen Schatten von einer Deckplatte hinabgleiten sehe, als löste sich ein Teil des Denkmals darüber ab, ein großes Tier, das vor mir flieht. Ich gehe ihm nach.

Es wird wieder dunkler, die vereisten Gitter, die in die Gruft schwaches Licht hineinließen, enden nach ein paar hundert Metern; hier atmen die Mauern nicht, hier staut sich Nässe. Nur die entfernten Sprünge des Tieres leiten mich, ich rutsche durch schmale Schächte, die Hände blutig von den Versuchen, mich zu halten, höre Wasser hinabsickern; in den Biegungen gibt es ein anderes Dunkel, schattiert, das gestreute Licht von einer unsichtbaren Quelle bricht dort in dünnen grau-schwarzen Partikeln ein, die sich in alle Richtungen bewegen und durch unterschiedliche Verdichtung mir den Weg weisen.

Wir kommen in die frisch ausgebaggerte Metrostrecke, ohne Gleise, aber der Wall ist schon gestampft. Lose vom Kabel an der Decke hängen Glühbirnen herunter, die mit halber Stärke brennen. Ich gehe auf dem Sand den runden Spuren des Tiers nach, nach einer Stunde beginnen die Gleise, die ersten Wagen, älterer Bauart, aus sowjetischen Überbeständen, die Entwürfe der Škoda- und Tatra-Ingenieure wurden nicht gebaut.

Die Spuren des Tieres sind auf den Fliesen der Station nicht zu sehen, ich rieche es nur. Wir mühen uns weiter durch das Metronetz, es läßt den Abstand nie so groß werden, daß wir jeder für sich allein wären, auch das Tier ist einsam, es ist vielleicht gewöhnt, verfolgt zu werden, auch zu jagen, aber auf diesem Weg verstehe ich, daß es eher dazu neigt, auszuweichen; sein Wesen wird mir klar.

Es ist kalt. Ich habe einen steifen Nacken, ich werde müde, aber auch das Tier geht langsamer, in den Kurven sehe ich manchmal seinen Schatten, als warte es.

Es folgt nicht mehr der Metrostrecke, sondern biegt ab zum Fluß, wo ich in den Ausgängen der Kanalisation durch Gitter den zugefrorenen Strom sehe, ich höre keinen Vogel.

Kein Ausweg aus dieser Vereisung, aus der Erstarrung, keine Geste des Widerstandes, vereiste Fahnen. Ich kann das Tier näher ausmachen, es ist kräftig, aber nicht riesig, hat einen gedrungenen Körper, ich sah es immer dunkel, aber es ist hell. »Bleib stehen!« rufe ich es an, und es hallt von überall her, danach ist Stille, das Tier ist verschwunden. Ich stocke, höre dann aus einer größeren Entfernung, daß es sich von mir fortbewegt, als sei es erschrocken, als hätte es mich bis dahin nicht für einen Menschen gehalten und wäre nur deshalb vor mir geblieben.

Ich finde es in einer Höhle, in dem großen Lehmsaal unter Vyšehrad, älter als alle Wege und Bauten der Stadt, mit einer stempelartigen, gebrochenen und nutzlosen Säule in der Mitte, mit Lichtgelassen am Übergang der Deckenwölbung in die Wände. Draußen ist Abend; hier ist das Ende meiner Verfolgung, dem Saal schließen sich keine weiteren Gänge an. Die Einschnitte der Geschichte, an denen ich entlang kam, haben in der Chthonie dieses Raumes keine Geltung.

Auf einem Podest aus gestampfter Erde drückt sich das Tier an die Wand; die Mähne durchnäßt, verfilzt, die Hinterbeine mager, mit hängender Haut. Die Wucherung auf seinem Kopf, die so krankhaft anmutet, mit scharfen Auswüchsen, wie ausgezackte Schädelknochen, ist Metall, eingewachsen, an dem es langsam, vielleicht seit tausend Jahren zugrunde geht. Es ist die Krone – der zerschundene, zerrissene Schwanz der heraldisch gespaltene Schweif des böhmischen Löwen.

Ich bin am Ort meines Ursprungs; wir stehen uns gegenüber, am Ausgang unserer vergeblichen Geschichte – die Fürstin und das Wappentier.

9

Ich fahre nicht nach Göttingen.

Auf das Telefonklingeln zu warten ist sinnlos, ich gehe spazieren. Es ist Kahlfrost, ohne Sonne. Die Spaziergänger im Stadtpark haben Pelzmäntel an, einige Robbenfelle. Sie nehmen die Wege ein.

Ich stapfe über den gefrorenen Rasen, zu den Teichen, wo auf der letzten freien Wasserfläche Enten und Möwen schwimmen und unter lautem Drängeln das Füttern der Spaziergänger belauern. Die Kinder werfen ungeschickt ihre Krümel.

Ich bleibe nicht lange stehen. Am entlegeneren Ende gehe ich durch angefrorenes, brüchiges Laub, streife mich durch ästchenstarrende kahle Büsche auf einen nassen Pfad, im Augenblick sehe ich keine Menschen.

In dem Gestrüpp vor mir fliegt eine Eule vom unteren Ast eines Baums auf, ich erkenne sie an der Lautlosigkeit ihres Fliegens und an den runden Flügeln. Ein Geschenk.

Von den Bäumen dahinter bricht mit lauten Rufen eine Krähenschar auf, kreist über meinem Kopf und stößt dann über einer freien Wiese mit einem Möwenpulk zusammen, vermischt sich mit ihm und trennt sich wieder, in dichter Formation, während die Möwen in weiter Verstreuung zurückbleiben. Die Krähen sammeln weitere Scharen, ihre unstete, bedrohliche Zusammenballung vertieft sich in neuen Schichten, in einer Staffelung. An einem Wendepunkt blitzen die schwarzen Krähensilhouetten metallisch hell auf – silbrige Punkte, die an dem bleigrau-violetten Himmel hängen. Wenn sie wieder schwarze Vogelgestalt werden, Fläche, Kante, Fläche, flimmert die Luft zwischen ihren Schwingen.

Ich sehe, wie sie immer wieder in die Baumwipfel einfallen, in der Dunkelheit verharren und dann auffliegen, mit einer Heftigkeit, als wäre ein Entschluß in Vorbereitung, eine Veränderung, ein Wetterumschwung, ein Luftdrucksturz.

Sie sah den Krähen nach und in den Himmel.

Ein Hund berührte sie, beroch ihren Schuh, sie merkte es, erkannte darin ein weiteres Tier, das sich ihr zeigte; sie beugte sich zu ihm, um es zu streicheln, und wurde von einem Schreien aufgeschreckt: »Pfui, Stella, pfui!« – als ob sie räudig wäre oder die Tollwut mitschleppte.

Der Hund erstarrt unter dem Befehl, hat dann begriffen und bellt sie scharf an, daß sie noch einmal zusammenschrickt, und rennt zu seinem Besitzer.

Sie überquerte die gesperrten Wildwiesen, konnte kein Wild entdecken, auch die Krähen waren weggezogen. Es war bereits das dritte Wochenende, an dem sie allein war.

Jan ruft nicht an.

Es gibt zwei Vergleiche, mit denen ich mich von meiner Angst um ihn abzulenken versuche, zwei Gestalten, die an sich zweifeln oder zweifeln lassen und die für mich eine Ähnlichkeit mit Jan haben. Es ist Asa-Thor, der kleinmütig ein paar Verrichtungen unter vollkommener Erschöpfung zuwege gebracht hat – eine Stube zu durchqueren, Met abzuzapfen, einen Mühlstein ein einziges Mal zu drehen – und dann erfährt, daß er eine weite Hochebene verändert und bewohnbar gemacht hat.

Und der Ratgeber Oishi Kuranosuké, der als Anführer der glorreichen Vierzig und Sieben seinen schändlich zugrundegerichteten Herrn rächt und die Ehre der Samurai für die folgenden Jahrhunderte rettet. Nachdem er sich ein Jahr lang mit Schande besudelt hat, gelingt es ihm, vor einer Schenke betrunken im eigenen Erbrochenen gefunden zu werden, ein Passant tritt ihn ins Gesicht und bespeit ihn. Diese letzte Entehrung verleitet den Feind, seine aufwendigen Wachen zu kürzen, so daß die Rache der Siebenundvierzig vollzogen wird. Jans Theorie hat mehr Ähnlichkeit mit der Entwicklung einer Landschaft als mit der höfischen Ethik eines Samurais, er ist aber genauso entschlossen, sein Gesicht nur vor sich zu wahren.

Seine Starrheit, sein ohnmächtiges Daliegen gehören zu einem verworrenen Kräftehaushalt, mit dem er sich gegen eine furchtbare Erzogenheit wehrt.

Ich komme aus dem Park hinaus. Die Kastanienallee beginnt hier mit ein paar zurückgesetzten größeren Villen, deren Gärten an den Park angrenzen. Es ist die Gegend der Makler, Anwälte, Professoren, diskreter Konsulate; manche Häuser haben nur die Hausnummern, keinen Namen.

Ich verfange mich in einem Draht, der um eines der Grundstücke gelegt ist, ohne im Gras bemerkbar zu sein. Es steht auch kein Warnschild da. Als ich mich bücke, um mein Hosenbein zu befreien, schnellt der gelöste Draht zurück und kratzt meinen Handrücken, ich zucke mit der Hand weg, und der Draht hängt in meinem Rist, dort sitzt er fest, das merke ich, als ich instinktiv mit dem Fuß zurückweichen will.

Als ich den Draht herausziehe, habe ich damit bereits so viel Erfahrung, daß ich mich vor weiteren Verletzungen hüten kann. Auf meinem Handrücken bildet sich eine Blutperlenschnur, die Socke am rechten Fuß färbt sich schnell dunkel, der Rist schmerzt beim Auftreten.

Ich sehe mir den Draht an. Es ist Nato-Draht, brüniert, mit breiten flachen Zacken, der unauffälliger ist als der dornstrotzende konventionelle Stacheldraht, dem ich rechtzeitig ausgewichen wäre. Am Ende ragt ein Stift aus der Erde, an dem er festgemacht ist. Ich gehe zum Haustor, an einer hohen Holzverblendung entlang, es ist verschlossen, und es steht kein Name da. Ich klingele. In der Sprechanlage knackt es einmal, es meldet sich aber niemand. Die oberen Fenster, die ich hinter dem Zaun sehen kann, sind dunkel.

Ich klingele noch einmal, ich will ihnen die Hand zeigen, fragen, wieso sie eine solche Waffe ohne Warnung im Gras liegen haben, mit fällt Jakobs Katze ein – gegen diesen Draht hat auch eine Katze keine Chance. Nichts rührt sich.

Ich komme wieder, ich werde ihnen eine Handgranate hineinplazieren, oder ein Flasche – zwei Drittel Heizöl, ein Drittel Benzin; auch beim dritten Klingeln meldet sich niemand.

Ich merke mir das Haus.

Ich habe diesen Draht schon einmal im Privatgebrauch gesehen – in Schrebergärten entlang dem Bahndamm Bördestraße.

Ich spüre, daß mein Fuß im Schuh klebt und spannt, an einer Laterne ziehe ich die Socke zurück. Es gibt niemanden, dem ich es zeigen könnte. Die Passanten anhalten, ihnen den Sonntagsspaziergang verderben – sie haben sich vorher auch ungehemmt umgedreht, gewartet, bis ich aus der Dunkelheit, aus dem Gebüsch herauskomme, blieben ostentativ stehen und ließen mich vorbeigehen, musterten mich ohne Scham – meine schiefe Haltung, den dünnen roten Mantel mit Schnüren, die Kalmückenmütze, mein finsteres Gesicht –, hier unter der Laterne bin ich sichtbar, hier taumele ich nur auf einem Fuß, sie sehen weg, sie müssen nicht weiter ins Dunkel stieren, wohin sie vorher ihre Hunde laufen ließen – sie werden jetzt nicht stehenbleiben und fragen, ob ich Hilfe brauche.

Die Vorstellung, nach Hause zu gehen, ist so trostlos,

daß ich die Weinausstellung in der Stadthalle als Ablenkung nehme. Der Eintritt von 5 Mark schließt die Weinproben ein; ich hoffe, daß ich mich dort setzen kann.

Die Halle ist nach Anbaugebieten eingeteilt, die Aussteller stehen an Ausschankpulten, die meisten haben noch eine Sitzgelegenheit für Kunden in einer Weinlaube oder in einer Art Weinschenken-Dekoration.

Es ist ein kalter Tag, fast niemand kommt, sie stehen da und lassen Stimmungskassetten laufen.

Alle fangen mit den billigsten Proben an, bei der fünften, wo mein andauerndes Anerkennen zum erstenmal berechtigt ist, kommen nur ein paar Tropfen ins Glas, aber da habe ich bereits einige Deziliter getrunken. Bei dem nächsten Stand versuche ich schon, den Jahrgang und die Rebsorte selber zu bestimmen. Ich finde immer bessere Weine, die erst später, weiter vom Eingang entfernt beginnen, die Frankenweine sind ganz anderen Ende. Nachdem ich an einem Stand genug probiert habe, zieht der Weinverleger regelmäßig seine Bestelliste und fragt, wie viele Flaschen respektive Kartons ich also wünsche. Ich versuche mich herauszureden, daß ich ohne meinen Mann nichts bestellen möchte, und bekomme die Preisliste, wo die ausprobierten Weine angekreuzt sind, und die Visitenkarte der Firma, ich soll mich bald melden, die in Frage kommende Sorte ist nur noch in Restposten vorhanden.

Nach einer Stunde habe ich keine Übersicht mehr. Ich wechsele wahllos die Stände, komme manchmal an den gleichen Ausschank, probiere noch einmal, wenn da ein anderer Vertreter steht; mitten im Einschenken kommt der frühere zurück und sieht mich an, wir erkennen uns vage. Ich kürze dann ab, und in der ersten Verwirrung trinke ich am nächsten Stand einen Rotwein, oder einen Rosé, wodurch sich meine Taumeligkeit verstärkt. Bald ist mir ernstlich schlecht.

Ich suche die Toilette und gerate in ein System von Stellwänden, hinter der letzten ist ein Gang zu einer Außentür. Ich öffne die Seitentür davor und stehe vor Bierzapfhähnen und einer Reihe von großen Spirituosenflaschen mit dem Füllkorken nach unten. Ich bin in einer Kneipe, die Toilette ist da hinten.

Als ich von dort zurückkomme, steht an der Theke mein Kollege Adam und trinkt Bier. Ich bemerke ihn erst, als er mich an der Schulter faßt. »Francine, ich habe dich vorher gar nicht gesehen, bist du oft in der ›Gurke‹?«

»Nein, ich bin hier in der Weinausstellung.«

Er lacht, als wäre es ein Witz, ich lache auch und stolpere über seine Hockerbeine. Ich bücke mich, um ihm meinen Fuß zu zeigen. »Du siehst dir meinen Schuh an«, sagt er und streckt den Fuß vor. Am rechten hat er eine Tasche mit einem Druckknopf, worin er einen Fünfzigmarkschein hält – »das ist meine eiserne Reserve«.

Er zeigt seine hübschen Sachen gern, ich besinne mich auf ihn – meine Verletzung würde ihn nicht interessieren.

Er bestellt für mich ein Bier, ohne zu fragen; ich trinke es. Mein Kopf wird immer wirrer, mein Magen hält sich noch. Er erläutert mir wiederholt, daß er mich unheimlich sympathisch findet. Ich sage, daß ich ihn auch sympathisch finde.

»Aber unheimlich?« sagt er. »Ja, unheimlich auch.« Er lacht wieder.

Ich habe meine Mütze auf, es ist mein Schutz, nicht nur für die Ohren, auch vor Blicken; sie fängt außerdem enthusiastische Küsse auf, weil meine Wange dahinter nicht erreichbar ist. Jetzt fängt sie nicht nur seine Annäherungsversuche auf, sondern auch die eines jungen Mannes auf der anderen Seite – wann habe ich den ermutigt? – »Sie sind ein Tribut an Kublaj

Khan, der in seinen besseren Stunden Mützen strickte«, erkläre ich ihm. Der Junge hat ursprünglich Philosophie studiert und jetzt ist er Tischler geworden. Ich fühle mich durch meine sozialistische Erziehung verpflichtet, alle Werktätigen, besonders manuell Tätige zu achten, außerdem imponiert es mir – ich habe manuell nichts gelernt.

Er fühlt sich ermutigt, mir noch zu erzählen, daß er eine neue Art Leim entwickelt hat, ich versuche mich zu konzentrieren – »er wird doch aus Klauen oder Knochen gemacht?« –, aber davon will er nichts mehr wissen, er will mir auch die Grundlage seines Leimprinzips nicht erklären. Er findet mich aber toll, auch die Mütze, ich soll sie bloß abnehmen, meint er, es ist heiß hier. Ich sage ihm, daß ich hier nur für einen Sprung bin und daß ich bald gehen muß. Er fragt, ob ich nicht mit ihm gehen möchte.

»Das geht nicht, ich muß noch arbeiten.«

Er fragt, was ich mache, das will ich ihm nicht so genau erzählen, nachdem ich vorhin mit ihm auf die Uni geschimpft habe, also sage ich, daß ich eine Art Unterricht gebe, und er behauptet: »Bei dir würde ich auch gerne ein paar Stunden nehmen.«

Ich überlege, ob ich ihm eine in die Fresse haue oder ob er als Manueller nicht doch ein Recht hat, blöd zu reden. Mir verwirren sich die ideologischen Begriffe, ich versuche mir klarzumachen, daß in seinem Fall von entfremdeter Arbeit nicht die Rede sein kann, wenn er sogar einen neuen Leim entwickelt hat, also könnte ich ihm auch eine runterhauen, aber während ich darüber nachgedacht habe, ist der Impuls verloren gegangen. Er sagt auch gleich: »Entschuldige, ich meine es nicht so, du gefällst mir bloß, außerdem bist du ein kluges Mädchen, das habe ich gleich gesehen.«

Ich lache über die Generosität, über diese Anerkennung, die ihm sichtbar nicht leicht fällt, und sage: »Du bist auch nicht auf den Kopf gefallen, und mit deinem Leim bist du auch noch erfinderisch.«

Adam steht schon lange vor der Darts-Scheibe und wirft verbissen seine Pfeile, ab und zu dreht er sich nach uns um. Als der andere pinkeln geht, kommt er zurück und sagt: »Den kenne ich, das ist Schmatoll, der schuldet mir noch Geld, seit einem Jahr.«

»Schmatoll?« wiederhole ich ungläubig.

»Und du bist plötzlich so freundlich zu fremden Leuten, ganz anders als sonst.«

»Wenn er doch Schmatoll heißt!«

»Und das ist Lüders«, petzt Adam noch und zeigt auf einen über der Theke einnickenden Mann. »Die sind immer zusammen. Sie sagen kein Wort, aber sie sind zusammen.«

Eine Unruhe ergibt sich, als noch ein Engländer hereinschneit. Ich werde immer kommunikativer, erkläre, wie es mit dem Codex argenteus ist, daß das Schränkchen in Uppsala sehr leicht zu knacken ist, es steht auch gleich neben dem Eingang, und fordere zuerst Schmatoll als Tischler auf, mir das Manuskript zu besorgen. Er meint, das wird kein Problem sein.

»Danach kannst du es wieder leimen«, sage ich.

Allmählich sind alle Männer, die hier sitzen, um mich zusammengerückt und überbieten sich in Vorschlägen, wie die Rückgabe zu bewerkstelligen wäre.

Ich winke den Engländer heran. »Für dich hätte ich auch eine Aufgabe. Kennst du dich in der Bodleian Library aus?«

Er fragt, wo das liegt, ich sage es ihm, er erzählt mir dafür, daß er in der Salvation Army ist.

»Das ist sehr interessant, merke es dir, wir kommen noch darauf zurück« – ich ermuntere ihn wie einen schwerfälligen Studenten, der sich im Seminar zu Wort gemeldet hat.

Adam erklärt, daß ich spinne; die anderen finden mich großartig, ich finde sie auch alle großartig. Adam fällt mit seiner Verdrießlichkeit und Eifersucht unangenehm auf – sein Charme wurde noch nicht ausreichend bemerkt. Der Engländer fragt ihn schließlich »Is she your wife?«, und Adam sagt wütend »Yes!«

Daraufhin sage ich: »Das stimmt nicht, mein Mann ist gar nicht hier, er ist in Göttingen!«

Jetzt lachen schon wieder alle, und Adam zum erstenmal mit.

Ich gehe noch einmal austreten und komme hinter das Paneel, wo die Weinausstellung allmählich abgebaut wird, am Gumpoldskirchner-Stand verkauft eine dicke gutmütige Österreicherin die letzten Flaschen unter Preis, das Stück 5 Mark, und winkt mich herbei. Ich kaufe eine. »Einer Österreicherin kann ich nichts abschlagen«, sage ich. Sie fragt, woher ich komme.

»Aus Prag.«

Daraufhin Erkennen, Umarmen (dicker Busen), »Goldenes Prag!« – und sogar »Zlatá Praha«-Rufe; ich bekomme noch ein Glas mit Winzerwappen dazu und von den restlichen Proben zu kosten.

Allmählich kann ich nicht mehr gehen. Ich trete in die Vorhalle, wo die dazugehörigen Toiletten sind, erbreche mich mit Leichtigkeit und kollabiere auf dem Boden der Kabine.

Ich liege da, an die Tür angelehnt, für Augenblicke verliere ich das Sehvermögen, bis ich Schritte höre. Der Pförtner kommt, öffnet mit seinem Vierkant und sagt gutmütig: »So, wir schließen jetzt, es ist Feierabend«.

Ich höre, wie jämmerlich meine Stimme klingt: »Ich kann nicht gehen.«

»Aber das wird schon«, muntert er mich auf – es ist ihm völlig egal, was aus mir wird, Hauptsache, niemand bleibt über Nacht im Gebäude.

Ich sammle mich und ziele auf den Ausgang, hinter mir sind die Lichter schon abgeschaltet, ein paar Autos vor der Stadthalle fahren noch weg, es ist hier schon leer. Ich drehe mich um, es kommt niemand hinter mir heraus, ich sehe von dieser Seite auch die Kneipe nicht. – Schmatoll und Lüders.

Ich erbreche mich im Gehen, laufe mit einem Pendelausschlag von zehn Metern, dann sacke ich zusammen. Es gibt noch abgestellte Autos, ich sitze an eins angelehnt, den Frost unter mir merke ich, es ist mir aber nicht kalt.

Ich werde geweckt durch lautes Lachen und aufgedrehte Stimmen. »Huh, was ist das?« schreit eine Frau, sie fällt beinah über mein Bein.

Ich schiebe meinen Kopf hoch: »Ist das ein Taxi?« frage ich. »Kommt bloß weg von hier!« mahnt die Frau irgendwelche Leute.

Das Auto, nicht das, woran ich mich anlehne, schaltet die Lichter ein, beleuchtet mich grell und fährt an; ich habe die Beine vor mich gestreckt und bin zu langsam, sie einzuziehen.

Ich höre, wie der Chauffeur im Vorbeifahren mit erregt-fröhlicher Stimme ruft: »Ich hätte ihr beinah die Beine abgefahren!« – und das hohe, hysterische Lachen der Frau auf dem Sitz hinten.

Der Auspuffgestank, direkt in mein Gesicht, macht mich wach. Sie sind weg – die Schweine. Ohne diese Idiotin wäre ich hier wahrscheinlich erfroren.

Ich will aufstehen, die Beine sind steif, ich ziehe die Knie an und krieche auf allen vieren über die unebenen Pflastersteine, die Bierdosen, die unzähligen Aufreißverschlüsse, Scherben, es ist ein weites Gelände, windig. Ich bemerke die Speichelspur aus meinem Mund.

Am Ende stehe ich auf, der Bürgersteig zieht sich

entlang und weiter die Fahrbahn, es gelingt mir sofort –
über die Fahrbahn zu kriechen scheint mir seltsam und
gefährlich.

In der Bahnunterführung gehe ich so, daß ich mich
in dem breiten Tunnel von Wand zu Wand abstoßen
kann. Vor dem Bahnhof gehe ich zielfest auf jeden
Mast zu, ich wähle meinen Weg nach ihren Abständen
und bleibe an dem Pfosten der Haltestelle stehen; es
kommt tatsächlich eine Straßenbahn.

Ich fahre ohne Angst schwarz, die Tüte mit dem
Gumpoldskirchner und dem Wappenglas baumelt mir
ans Bein, ich halte sie fest und bringe sie ohne anzu-
schlagen nach Hause.

10

Schwaden, stechendes Licht, Rauchschlieren. Ich liege an der Tür mit dem Kopf zwischen der Wand und dem Ofen eingeklemmt, ich kann ihn nicht drehen. Das Kohlenmonoxid des schlecht ziehenden Ofens mischt sich mit dem Alkohol in meinem Blut. Lieber den Rauch in den Augen, das schmerzende Licht, als das Schiff über mir, das sich schaukelnd nähert, wenn ich die Augen schließe, sich über mir riesig auftürmt, eintauchend mich aufhebt, mein Magen und mein Kopf sinken und steigen mit.

Vor Jahren auf einer kahlen schmutzigen Insel in der Elbe, mit angeschwemmten Kunststofflaschen und Styroporbröckeln, ein paar abgehärtete Möwen kreisen über dem Unrat, landen aber nicht; ich liege in Unterwäsche auf dem nassen Sand, mein Kleid habe ich meiner Schwester übergeworfen, die zitternd eine Mulde im Sand aushöhlt, die ersten Trauben des Jahres, grün, die meisten Beeren unzerkaut hineinerbricht, Sand darüber schiebt, die nächste Mulde füllt. In Sand läßt es sich gut kotzen.

Die Weintrauben waren in einem Vorort gekauft, bevor wir auf den Ausflugsdampfer nach Blankenese gingen; wir kamen nicht nach Blankenese, wir sind inmitten des Flusses ausgestiegen, weil meine Schwester das Schaukeln nicht mehr ertrug, wir liegen hier schon seit Stunden, die Abfahrtszeiten am Landungssteg sind abgerissen, die Parzellenpächter auf der Insel, die hier sonst aussteigen könnten, kommen nicht, sie sind am Vormittag noch in der Arbeit. Ich friere, der Sommer hat angefangen, aber nicht hier, nicht inmitten der trüben Elbe, die nordwärts fließt, mit Schiffen, deren Nebelhorntöne von weit her kommen; wenn ich sie in der Ferne entdecken will und den Kopf hebe, sind sie wändehoch über mir, ihr angerosteter, abgeblätterter Bug überfährt mich fast. Diese Insel lag vergessen im Strom.

Die Matrosen sehen uns erst jetzt, meine Haut leuchtet in der weißen Wäsche, und sie winken, einige schieben ihren Hosenlatz vor und legen die Hände daran, lachen selbstbewußt, sie wissen nicht, wie klein sie da oben sind.

Mehrere hundert Meter lang schiebt sich ein Öltanker voran, eine stumpfe graue Mauer, mit einem Bremsweg, der jeden Gedanken an Rettung zunichte macht, menschenleer, dumpf, ein künftiger Amoco Cadiz, die Nordsee wird sich von seinem Unfall aber nicht erholen.

Die rostig angerotteten Frachtschiffe, mit ihrer drängenden Besatzung, mit ihrem männlichen Angebot an Zudringlichkeiten sind daneben eine Erleichterung.

Aus meinem Winkel zwischen der Wand und dem CO-emittierenden Ofen sehe ich in meinem einzigen Lehnstuhl einen Mann sitzen. Ohne Möglichkeit, den Kopf zu bewegen, die Sehschärfe auf den Besuch einzustellen, erkenne ich ihn. Beim Lärm eines aufdröhnenden Motorrads zuckt er zusammen, jetzt sehe ich ihn klar.

Er beugt sich vor, sieht mich aus der Nähe an, auch er gierig, er hat schon lange kein lebendiges Gesicht gesehen, eine Weile starren wir uns an. Ich möchte mich aufrichten, seinen hellen Blick gefaßt erwidern, ich möchte vorbereitet sein, wenn er mich nächstes Mal mit seinen Augen streift. Mir dreht sich der Kopf, ich bleibe liegen. Er spricht nicht, vielleicht wartet er, daß ich etwas sage.

Soll ich ihn erinnern, daß er auch Motorrad fuhr, zu der Zeit, als er mit einem kurzsichtigen Mädchen ging, über das er abfällige Bemerkungen machte, um sich daran seiner Verliebtheit zu vergewissern.

Wenn Du mich ein wenig lieb hast, so ist es Erbarmen, mein Anteil ist die Furcht – für alle Frauen derselbe Satz.

Er versteht meine Gedanken sofort, lehnt sich zurück und blättert in meinem Borges.

»Borges hat über Sie geschrieben, er hat Sie auch übersetzt.«

Kafka

Wie einem Autor sagen, der die Verbrennung seiner Texte angeordnet hat, daß er der Schriftsteller des Jahrhunderts ist?

Soll ich es ihm tschechisch sagen? – »Jste největší spisovatel století.«

Dann fragt er vielleicht nach Milena, oder nach seiner Familie, nach Ottla; ich müßte ihm einige politische und technische Einrichtungen dieses Jahrhunderts erklären, und ihr Ausmaß.

»Sie sind erst spät verboten worden, weil man Sie vorher nicht kannte, dafür aber auf lange Sicht. Die Plakette an Ihrem Geburtshaus ließ man der Touristen wegen dort.«

Ich stelle mir Schriftsteller immer nur im Gespräch über Literatur vor, und dabei sind das Hypochonder, oder Vegetarier, chronisch Entlobte, Söhne ihrer Väter – oder Mütter; mit Trinkern ginge es noch – aber hier?

Er sitzt angespannt, scheint zu frieren, ich müßte das Fenster schließen, aber dann ersticken wir hier.

Soll ich Musik auflegen? »Ma mère l'oye«, die »Pavane«? Ich könnte ihm die Beatles vorspielen – *for the benefit of Mr. K.*, oder den Zupfgeigenhansel, der in einem KZ umgebracht wurde.

Wieso fand Kafka, der die Grade sozialer Schuld und der Beihilfe zur Schuld genau unterschied, Karl Roßmann schuldlos, – den liebsten unter seinen K.s, der seine Veroneser Salami vor einem hungrigen Slowaken bewahrt und dann bedauert, daß er sie nicht bei sich hat, um den Heizer zu bestechen, wie er das von seinem zigarrenverteilenden Vater gelernt hat. Nein, Roßmann kennt sich auf seine biedere Weise bereits aus. Schuldlos ist er nicht.

Kafka wußte, wie sein Vater das Personal in seinem Geschäft behandelte, und fuhr doch in die Prager Vororte und überredete die sich weigernden Angestellten, die Arbeit wieder aufzunehmen; er war der einzige in der Familie, der dabei eine Chance hatte – durch seinen Nimbus als mitfühliger, unschuldiger Sohn, durch sein Tschechisch.

Die Schilderung des Beischlafs mit der älteren Magd in ›Amerika‹ ist übel.

Und wohin wird Brunelda am Ende geschleppt – in ein Panoptikum oder in ein Bordell?

Was mich am meisten aufbringt ist das Schicksal der Familie Barnabas, die sich im Namen des Schlosses mit einem selbstzerstörerischen Eifer zugrunde richtet. Um K. ist mir nicht bange – er versteht es bis zuletzt, eine Nische zu finden und stirbt eingepaßt, ins Dorf aufgenommen. Diese Familie ist aber ausgestoßen, lebt ohne eigene Bestimmung, ohne eigenen Namen, ihr Elend endet nie – keine Erniedrigung, kein Bittgang des Vaters, noch Olgas Wege zu den Knechten können den Abstieg verhindern.

So viel Schrecken – und er sitzt unbewegt da.

Und die aufgespießte Ratte in der ›Kaldabahn‹, die Maden in der Lendenwunde des Knaben, zu dem sich der Landarzt legt, der faulende Apfel im Rücken von Gregor Samsa – sind das alles nur Bilder? Diese Ekelhaftigkeiten sind ansteckend wie die ›Strafkolonie‹.

Er macht Anstalten, sich zu erheben.

»Gehen Sie noch nicht! Was wird mit den Barnabas-schen?«

Dabei hatte ich Angst, er könnte tschechisch ant-worten, mit einem Akzent, oder mit Fehlern, die ihn kindlich, lächerlich machen würden.

»Dann werden Sie es schreiben müssen«, sagte er und lächelte außerdem. Er hatte denselben Akzent im Deutschen wie ich. → only real identification w/ s/o she & he are other/s but together

Ich hätte ihm gern Lems ›Maske‹ mitgegeben, und ›Die vollkommene Leere‹; zumindest ›Pale Fire‹, die größte Hommage an ihn: das blasse Feuer des zentra-len Gedichts, aus dem das Spektrum von Kinbotes wahnwitzigen Imaginationen hervorbricht, beginnt mit dem 3. Juli, Kafkas Geburtstag.

Charles Kinbote, Nabokovs K., als ausländischer Li-teraturdozent an einer amerikanischen Universität tä-tig, ist in Wirklichkeit – in seiner Wirklichkeit Charles der Geliebte, der gesuchte König eines fernen kargen Landes, Solus rex.

Majestät auf der Flucht in die Literatur.

11

Es sitzt sich bequem in meinem Rollstuhl. Er ist dunkelblau, mit schwerentflammbarem genarbtem Kunstleder bezogen, die Lehnen für Rücken und Arme und die Beinstützen sind verstellbar, und besonders das freut mich, da ich dadurch meine Hüfte entspannen kann. Die großen Räder sind hinten, wodurch ich die Luftreifen mit den Greifreifen ohne Vorbeugen fassen kann, sie sind gerillt, so daß ich an ihnen nicht rutsche, wenn mir die Hände schwitzen.

Ich beobachte andere Rollstühle, ich habe einen mit den großen Rädern vorne gesehen, es half zur besseren Balance des Beinlosen, der darin saß.

Der einzige Nachteil meines Rollstuhls, der sich beim Fahren allerdings als Vorteil erweist, weil dadurch seine Stabilität gewährleistet ist, ist sein Gewicht.

Als ich ihn an der Rampe abhole, merke ich, mit welcher Masse er den schrägen Steg hinunterrollt, sich beschleunigt, mich durch die große Remisenhalle zieht. Ich bin an den restlichen Fundsachen nicht interessiert, der Rollstuhl ist mehr, als ich erwartet habe. Er sieht gut aus, nur die Griffe sind etwas abgewetzt, aber darüber werde ich Isolierband wickeln, wie um meinen Fahrradlenker.

Die Versteigerung war ein Versehen, ein Irrtum, der Rollstuhl stand nur dabei, man hatte vergessen, ihn wegzuräumen, er sollte nicht aufgerufen werden, wurde es auch nicht, erst auf meine Frage in der Pause hat man ihn hergegeben, man war froh, ihn loszuwerden. »Er steht schon lange da, über ein Jahr, es hat keiner danach gefragt«, sagt ein Mann aus dem Depot, der bei der Versteigerung hilft. Es muß sich um eine Art Wunder gehandelt haben, ein Lourdes-Syndrom – der Lahme steht auf, wirft seine Krücken weg, läßt seinen Rollstuhl in der Straßenbahn stehen und steigt aus, ohne sich umzudrehen.

Der Auktionator ist verlegen, der Rollstuhl steht nicht auf der Liste, andererseits kann er ihn mir schwer verweigern, er weiß nicht, ob nicht hinter meinem Drängen eine Not ist – er sieht auf meine Beine, jederzeit bereit, wegzugucken, wenn es zu schlimm sein sollte.

Ich sage: »Ich habe siebenunddreißig Mark, und ich brauche den Rollstuhl dringend.«Er befühlt das selbstverlöschende Kunstleder – »es ist ja ganz neu, was kostet so ein Ding«, fragt er den anderen. »Ich weiß nicht, vielleicht achthundert Mark«, antwortet der Mann.

»Ich habe nicht mehr«, sage ich.

Er überlegt einen Augenblick. »Ach, dann nehmen Sie ihn«, winkt er ab, großzügig, »man kann ja froh sein, daß man selber so was nicht braucht«, fällt ihm ein, er sagt es neidisch, mein Drängen hat ihn angesteckt, aber ich habe schon das Geld hingelegt, warte nicht auf die Quittung, die er mir auch nicht ausstellen kann, und schiebe den Rollstuhl hinaus.

Als ich in den Regen hinter der Tür komme, erinnere ich mich, daß ich ursprünglich einen meiner liegengelassenen Regenschirme wiederhaben wollte. Dafür habe ich jetzt kein Geld. Es ist auch nicht so wichtig.

An der Straßenbahnstation versuche ich, den Rollstuhl zusammenzufalten; es gelingt nur halb, etwas, was ich noch nicht kenne, ein Hebel, den ich nicht finde, oder eine Sprungschere unter dem Sitz, die ich nicht greifen kann, sperrt sich. Ich bringe mit Gewalt eine halb gequetschte Form zustande, als die Straßenbahn kommt, und hebe den Rollstuhl zum erstenmal an, während ich mit der anderen Hand die Tür am Zuklappen zu hindern versuche; für dieses Gewicht brauche ich allerdings beide Hände – und isotonisches Training jeden Tag.

Ich steige rückwärts in den Waggon, wobei ich den Rollstuhl über die Stufen mit einem Krach schleife, daß sich die Fahrgäste umsehen, während mich der Stahlrahmen immer an derselben Stelle des Schienbeins trifft.

Ich stelle mir vor, daß ich damit wieder aussteigen muß.

Ich bleibe auf der hinteren Plattform. Ich möchte mich setzen, es sind auch noch genug Plätze frei, möchte aber den Rollstuhl nicht aus dem Blick lassen, es könnte passieren, daß ich ohne ihn aussteige und ihn genauso vergesse wie die Regenschirme vorher – Strandgut des Straßenbahnverkehrs, angeschwemmt für die nächste öffentliche Versteigerung.

Die Straßenbahn nähert sich dem Zentrum, eine Haltestelle ist schon in Sicht, auf der Einstieginsel ballt sich die Menge in Richtung erwarteter Türen in einer darmförmigen Bewegung gefährlich nahe an die Gleise heran, bevor die Straßenbahn hält. Die Leute spähen nach leeren Plätzen und laufen parallel zu ihnen neben dem Wagen, die alten Frauen mit Stöcken haben den Türfrontabschnitt besetzt und warten gespannt, wann sie als erste den Einstieg gewinnen, die nicht wesentlich jüngeren Damen, noch ohne Stock, aber bereits in seiner Ermangelung, lassen ihnen nachsichtig den Vortritt, innerlich nicht weniger ängstlich, auch sie möchten sitzen, allerdings ohne dabei an Gesicht oder an ihrem hanseatischen Kleidungsblau einzubüßen.

Ich ziehe den Rollstuhl auseinander und setze mich hin. Die schnellsten Gebrechlichen sind oben und orientieren sich im Raum, ihr Blick fällt zuerst auf mich. Meinem Gesichtsausdruck nach halte ich einen ihrer Plätze besetzt, sie stocken, bis sie begreifen, worin ich sitze, und wenden sich dann den restlichen freien Plätzen auf den Zweierbänken zu, mein Anblick war nur eine kurze Ablenkung.

Ich habe ein impertinentes Gesicht wie ein Klippschliefer, aber der Rollstuhl steht da, daran können sie nicht vorbei, also versuchen sie, mich als Behinderte zu nehmen.

Eine sagt zu der nächsten Einsteigenden »Vorsicht, da ist ein Rollstuhl« – nicht, um mir auszuweichen, sondern um das sperrige Vehikel zu kennzeichnen und um verbindlich zu sein.

Eine Frau wird von hinten gegen mein Knie gepreßt, sie zwängt sich fort, die Berührung hat sie irritiert, sie weiß nicht, woran sie gestoßen ist – Gips oder Prothese.

Die Sitzplätze sind besetzt, einige Fahrgäste bleiben gedrängt auf der Plattform, sie stehen um mich herum und blicken hinaus, nicht ohne vorher ihre Fußfreiheit in bezug auf den Rollstuhl abzuschätzen, ich fange an, den Vorteil des Rollstuhls zu erkennen, ich kann die Leute länger anstarren als sie mich.

Eine Frau mit einem verschlossenen Gesicht, kurzes dunkles Haar, hager, sieht mich an – nicht den Rollstuhl, dann sieht sie zu den Stufen an der Tür und sucht mit den Augen nach einer Begleitperson –, keiner gehört zu mir. Ich beobachte sie, verfolge ihre Schlüsse, sie will mich nicht in Verlegenheit bringen durch weiteres Anschauen, sie ist in diesem Gedränge für einen Augenblick aufmerksam, dann denkt sie schon an etwas anderes. Sie hat am Fenster einen Platz gefunden, wo sie ihre Tasche abstellen kann, zieht ein Buch heraus und liest. Einmal sieht sie noch zu mir; falls sie nicht früher aussteigt, wird sie mir beim Aussteigen helfen.

Es ist eine Schwangere da, ich sehe es mehr an ihrem inverten Gesichtsausdruck als an ihrer Gestalt. Sie ist noch überrascht von ihrem Zustand, horcht auf Veränderungen, abwesend, mit verschwommenen Augen und einem aufgedunsenen, schläfrigen Gesicht. Sie hat linkisch vorsichtige Bewegungen, sieht sich zuerst nach einem Sitzplatz um, möchte nicht anecken, gegen etwas Spitzes gestoßen werden, hält die Tasche vor sich, und wird von hinten nach vorne gedrängt von den Schulkindern, die gerade zugestiegen sind. Ich möchte ihr meinen Rollstuhl anbieten, aber vielleicht fürchtet sie dann, daß das Kind lahm geboren wird, ein Mal bekommt, wie die Kinder, deren Mütter in einen Brand gestarrt haben.

Die Kinder drängeln durch den Wagen, schubsen sich nach vorne, über die Beine der Stehenden, die mißmutig schweigen, mit ihren eckigen, schweren Ranzen, die optimale Platzmacher sind, unter lautem Gekreische und Gelächter besetzen sie sofort die leergewordenen Sitze, verteilen sich im Wagen, halten die anderen im Schach, lassen Kaugummiblasen platzen, schüchtern die Alten ein, lachen durch ihre Zahnklammern, zeigen von Bonbons angefressene Zähne, die Schneidezähne erschreckend groß, blöken, stinken.
  Eine Frau sagt zu zwei Jungen, die gemeinsam die Bank nicht ganz füllen »Laßt die alte Dame sitzen«. Sie gucken sich an, dann rücken sie wenig zusammen, die Ranzen verhaken sich, so daß sie nicht näher zusammenkommen können, der eine steht umständlich auf, trifft mit seinem Ranzen die Herumstehenden, die alte Frau, für die der Platz beansprucht wurde, nähert sich zitternd, lächelt dankbar und nickt der freundlichen Dame zu, will sich setzen, da fällt dem anderen Jungen ein, daß er auch aufstehen möchte, er drängt die Alte wieder zurück, kaut dabei, sie geht rückwärts und taumelt, die andere stützt sie, sie ist für die Situation verantwortlich und muß sie jetzt bis zur Einnahme des

Platzes versorgen. Die alte Frau wird auf die leere Bank gesetzt, steht wieder auf, weil sie schon an der übernächsten Station aussteigen muß, und bietet den Fensterplatz reihum an, bis sich eine Durchzwängende findet, die weiter fährt als sie.

Die Straßenbahn ist aus dem Zentrum heraus, hinter dem Bahnhof, und nähert sich dem Industrie-Hafen, der von weitem an den hohen Kränen zu erkennen ist. Die Mauer neben den Geleisen, mit Stacheldraht überspannt, ist von Zaunstellen und Toren durchbrochen, dahinter sieht man Werkbahnen, ein Lastzug wird auf das Innengleis geschoben. Auf der anderen Seite der Straße sind Arbeitersiedlungen aus den dreißiger und fünfziger Jahren, mit Entlüftungsgittern für Gasheizung an den Fassaden.

Die Straßenbahn ist leer geworden, ich bin zu weit gefahren, aber es lohnt nicht, vor der Endstation auszusteigen, wo ich die Zwei oder die Zehn nehmen kann.

Ein etwa vierzigjähriger Mann, der schon seit einigen Stationen mitfährt und an der Stange am Ausgang steht, dreht sich plötzlich zu dem Gastarbeiter um, der zwei Bänke vor mir sitzt, mit den Warnplakaten der Serie »Ich bin schwarz gefahren« im Rücken.

Ein Mann verdeckt sich mit der Hand das Gesicht, er trägt einen Ehering.

Ich bin schwarz gefahren
nie wieder
Ich alter Esel – neben der Blamage
auch noch 40 Piepen weg
Unter einem anderen verdeckten Männergesicht ist die Warnung modifiziert:
Ich bin schwarz gefahren
nie wieder
40 Mark weg – und weil es schon

das zweite Mal war –
außerdem noch eine Strafanzeige dazu
Gegenüber die Teenager-Variante:
Ich bin schwarz gefahren
nie wieder
Alle haben geguckt – und außerdem ist
mein ganzes Taschengeld futsch
Auch das sich schämende Mädchen lugt durch ihre Finger.

Werden Freiwillige dafür genommen, Mitarbeiter der städtischen Straßenbahn? Oder erwischte Passagiere, denen man für das Photo die Strafe erlassen hat?

»Die Fahrausweise«, sagt der Mann über dem Ausländer. Der zuckt zusammen, er hatte sich mehrmals an Stationen umgedreht, dann hat er es nicht mehr für nötig gehalten. Er sieht hoch, nicht auf das Abzeichen, das ihm der Kontrolleur schlaff entgegenhält, vor den übrigen verdeckt. »Den Fahrschein«, wiederholt er schärfer. Der Ausländer reicht ihm einen Schein, der Mann sieht ihn kurz an und wendet ihn. »Auf diesen Schein fährst du schon seit drei Tagen, hast du keinen anderen?« Der Ausländer sucht nur kurz, sie wissen beide, daß er nichts finden wird. Der Kontrolleur läßt ihm nicht viel Zeit. »Das macht dann vierzig D-Mark«, und zieht einen Block heraus. Der Mann nimmt sein Portemonnaie, noch bevor der Satz zu Ende ist, und zahlt rasch, der Kontrolleur braucht nicht herauszugeben, der Ausländer hat das Geld parat – zwei Zwanzigmark-Scheine, und bekommt einen flüchtig ausgefüllten Schein mit einer undeutlichen Unterschrift, den er einsteckt, ohne ihn anzusehen. An der nächsten Station steigt er aus. Er wurde nicht nach seinen Personalien gefragt.

Der Kontrolleur geht nach vorne, wo noch ein paar Leute sitzen, mit diskreten Bewegungen bittet er um die Fahrscheine, sie greifen hastig nach ihren Taschen, er beruhigt sie, wartet geduldig, ermuntert sie, macht Vorschläge, wo der Fahrschein stecken könnte, und lächelt zur Bestätigung, wenn er gefunden wird. Er tritt an die nächsten heran, die bereits Kontrollierten sehen gespannt zu, warten auf Zwischenfälle, aber der Kontrolleur zeigt jetzt Vertrauen, nickt zusagend, auch wenn die Anschlußzeiten überschritten wurden oder das Umsteigen an einer nicht zulässigen Station geschah; er macht darauf lächelnd aufmerksam, bedankt sich und kommt noch einmal nach hinten, um dort günstig auszusteigen.

Ich erwarte ihn schon in meinem Rollstuhl, er hatte mich ausgelassen, als er auf den Ausländer zuging. Er möchte in die Gegenbahn Richtung Stadt, die gerade ankommt, und ruft mir höflich zu: »Sie haben einen Ausweis.«

Ich halte ihm meinen Fahrschein hin, er stockt.

»Den Fahrschein brauchen Sie doch nicht, den Behindertenausweis.«

»Ich habe keinen.«

»Den grün-rosa.«

»Nein, den habe ich nicht.«

Die Straßenbahn hält.

»Ist das Ihr Rollstuhl?«

»Ja.«

»Sie brauchen ihn?«

»Ja.«

»Dann haben Sie einen Behindertenausweis.«

»Nein.«

»Sie können damit doch nicht ohne Behindertenausweis fahren.«

»Warum nicht?«

»Dann müssen Sie auch dafür bezahlen. Der Rollstuhl gilt als Gepäck.«

Ich nehme von meiner Fünfer-Karte einen weiteren Schein und stecke ihn in den Entwerter. Der Kontrolleur drückt auf den Signalknopf, daß sich die Tür noch einmal öffnen soll, steigt hastig aus und läuft auf die andere Seite des Perrons, aber seine Straßenbahn setzt sich gerade in Bewegung, wie unsere auch. Er bleibt auf der leeren Insel vor dem Zollzaun zurück, im Regen.

Ich überlege, ob er auf dem Rückweg wieder einsteigt, aber ich fahre ja die andere Strecke.

Mein Rollstuhl bewährt sich.

12

Ich sonne mich am Fenster, liege entspannt und lese mit meiner neu angeschafften prismatischen Brille, mit der ich abends auch fernsehe. Ich verlasse meinen Rollstuhl nur selten. Die Türen stehen alle offen, ich ecke kaum noch an, balanciere schon wendig über die Schwellen, übe für meine erste Ausfahrt.

Der Rollstuhl ist vielseitiger als mein Schreibstuhl auf Rollen, dessen Rückenlehne und Sitzneigung verstellbar sind. Abends kann ich mich in die Waagerechte schwingen und habe damit einen Fernsehsessel, den ich vor dem Apparat postieren kann. Schreiben läßt sich auch darin, ich brauche nicht einmal einen Tisch dazu.

Seit ich mich krank gemeldet habe, denke ich über die Möglichkeiten nach, das Schicksal der Familie Barnabas zu ändern – ein sinnvolleres Unternehmen, als mich mit den desinteressierten, trägen Typen in meinen Seminaren herumzuplagen. Das Telefon habe ich leise gestellt und unter Kissen vergraben, so daß Nachfragen zwecklos ist, selbst wenn ich das Klingeln hörte – ich wäre mit dem Rollstuhl viel zu langsam.

Nur abends warte ich noch manchmal, daß es klingelt.

Am Ende der Woche gehe ich einkaufen, noch ohne den Rollstuhl, mit den einunddreißig Kilo auf der Treppe zu hantieren schreckt mich ab, aber ich habe mir bereits ein Einkaufsnetz besorgt, das an den Griffen zu befestigen ist, und ein Regencape – in dieser Stadt eine Notwendigkeit. Ein Fußsack hat mich gelockt, es war ein Sonderangebot, auch Kufen, aber es gibt seit zwei Monaten keinen Schnee mehr.

Das Rutschbrett ist praktisch, das Lammfellkissen beim längeren Sitzen notwendig, später werde ich mir auch Anti-Decubitus-Gel-Auflagen gegen Wundsitzen besorgen müssen.

Ich stehe nur von dem Rollstuhl auf, wenn ich schlafen gehe, mittels Rutschbrett, oder auf die Toilette, es gibt allerdings einen Topf, den ich kaufen kann, aber gerade das würde einen zusätzlichen Aufwand mit sich bringen, und außerdem den Stuhl entwerten.

Ich eigne mich nicht zur Krankenschwester. Als ich meiner Mutter Vitamin B_{12} spritzen sollte, weil meine Schwester als Ärztin noch ungeeigneter war, fühlte ich mich im voraus unwohl. Sie sagte immer, sie hätte fast nichts gespürt, aber mir war dabei vor Nervosität jedesmal schlecht.

Ich denke in meinem Rollstuhl häufig an sie. Sie war die größte Märtyrerin der Straße, sie hatte sich darauf eingerichtet – ich folge ihr darin, in dieser Straße fährt niemand einen Rollstuhl.

Es gibt auch Sondervorrichtungen fürs Duschen, aber bei meiner Dusche muß ich wendig sein, schnell, die fünfzehn Liter aus dem Speicher optimal nutzen. Wenn ich mich erst unter der Dusche aufwärmen will und nicht aufpasse, ist das warme Wasser verbraucht, bevor ich die Seife abspülen kann.

Im Rollstuhl dusche ich nicht.

Ich fühle mich aber nicht mehr verpflichtet, den Mann zusehen zu lassen.

Die Situation entstand eines Abends, als ich nach dem Handtuch am Fenster in meiner Waschküche griff, das auf die Parzelle nebenan führt – das Ergebnis der einzigen Bombe in dieser Straße. Es ist ein kleines Fenster, eigentlich nur ein Lichtschachtfenster, aber wenn ich beleuchtet direkt davorstehe, kann man mich sehen, das wußte ich bis zu dem Abend nicht. Die

Parzelle ist durch einen zwei Meter hohen Zaun von der Straße getrennt, dahinter gibt es von Sträuchern halb verdeckte Gitter, durch sie sich nur Katzen durchzwängen, es spielen hier keine Kinder, die Parzelle ist vom Gras und von Unrat überwuchert, den man beim Sperrmüll nicht mitgenommen hat.

Auf der gegenüberliegenden Seite lehnte in der Dämmerung der Mann an der Mauer, ich sah nicht gleich, daß er in einem Rollstuhl saß. Als ich das begriff, drehte ich mich vor dem Fenster, als suchte ich etwas, trocknete mich umständlich ab, bückte mich dabei, mein Busen wirkt vorgebeugt schwerer.

Der Mann saß bewegungslos und starrte hinauf. Als ich fertig war, löschte ich das Licht und blieb im Schatten neben dem Fenster, ich wollte wissen, was er tun würde. Er wartete noch, dann fuhr er mühsam, aber geübt zwischen die Gitter, wo in den Sträuchern eine unvermutete Lücke war. Er kam noch mehrmals.

Er erinnert mich an meinen spastisch verspannten Mitschüler, der selber keinen Rollstuhl fuhr, mich aber in einen hineinwünschte: »Dann kann ich dich schieben, wohin ich will, du kannst nicht weglaufen.«

Für diese Art Zumutung bin ich anfällig. Seit ich aber den Rollstuhl habe, brauche ich auf solche Liebe nicht einzugehen.

Ich habe Zeit, meine Berichtigungen literarischer Schicksale fortzusetzen. Es müßte möglich sein, daß sich mindestens ein Dorfmitglied mit der Familie Barnabas solidarisiert, allerdings nicht über den Rahmen, den die Lethargie des Schlosses erlaubt, hinaus. Ich brauche einen Boten, der mit der Schloßnachricht noch nach drei Jahren im Dorf ankommen kann, einen Lahmen, der die Schräge des Schloßberges bewältigt, wie die Elite der Boten im Mythos.

Eines Morgens erschien Bertuch im Dorf, Lasemanns Frau hatte ihn durchs Fenster vorbeihinken sehen, der hohe Schnee machte das Gehen schwer. Hätte er seinen Stock nicht, wäre er kaum von der Stelle gekommen. Er bog in die nächste Gasse, hier war der Schnee schon weggeräumt, er kam gut vorwärts. An Brunswicks Haus blieb er stehen. Mit zwei Schritten stand er an der Tür und pochte.

»Herein, es ist nicht abgeschlossen«, sagte eine laute Männerstimme, in der Mißtrauen lag.

Bertuch drückte die Klinke – eine schöne Arbeit. Von solcher Art war auch das Gitter seiner Gärtnerei auf der schloßzugewandten Seite, die Schlosser hatten damals in der Gründungszeit volle Hände zu tun, sie brachten Eisenrosen am Schloßgitter an, sie durften allerdings nur die Außenarbeiten verrichten, die Innenausstattung des Schlosses, die Kamingitter, die Luster, die Truhen, Schürhaken, Aschenbecher führten die Schloßschmiede aus, ein italienischer Meister mit zwei Gesellen, die wahre Künstler sein sollten.

Nun, es war nicht Bertuchs Sache, das zu beurteilen, er war nie im Schloß gewesen. Wenn es ihm manchmal glückte, einem Kutscher in voller Fahrt, einem vorbeieilenden Boten ein Radieschen in die Hand zu drücken, eine saftige Gurke im Sommer, war schon viel gewonnen, es war aber so selten gewonnen, daß es vielmehr einer Niederlage gleichkam, nur hatte er die Hoffnung nie ganz aufgegeben, in aller Frühe schon stand er jeden Morgen am Schloßtor und wartete, daß sich die Klappe hinter dem Gitter öffnete und ein Unterkastellan seine Produkte entgegennahm, schweigend, er sah nur eine ihm herausgereichte Hand, oft wollte man nichts von ihm.

Dieses Gitter war eine Filigranarbeit, das Werk des Dorfschmiedes, die junge Gardena hatte viel von diesem Gitter erzählt, sie war damals ein stattliches Mädchen, das hatte auch Bertuch gemerkt. Dann war sie fort, und die Dorffrauen gaben sich Zeichen mit den Ellenbogen, wenn er nach ihr fragte. Gardenas Name wurde mit Flüstern weitergegeben, mit viel Gewichtigkeit wurde über sie gerätselt, alle waren schon an Gardenas Glück beteiligt, sie drängten sich förmlich um dieses Glück.

Nur Gardena sprach mit niemanden, ging stolz durch die Gerüchte. Ein paar Tage nur war sie fortgewesen, aber als wären es Jahre, so verändert kam sie zurück, so entrückt allem, was ihr noch vor kurzem vertraut gewesen war. Ein Tuch trug sie um die Schultern, das sie auch in der größten Hitze nicht ablegte; es begann, das Warten der Frauen damals. Für Gardena war es vorbei, nur das Tuch blieb, sie hielt daran fest, als wäre es das einzige, was ihr im Leben geblieben war. Er war damals ein kräftiger Bursche, der ihrem Vater in der Schmiede viel Arbeit hätte abnehmen können, nur kam er selten ins Dorf, mit seinem Fuß war er nicht schnell genug. Sie wurde schon von Hans getröstet, dem unverständigen Jungen, der ihr aber keine Stütze sein konnte.

Ja, damals war Gardena die Auserwählte gewesen, doch wo sie vom Schloß begehrt war, hatte er mit seinem Klumpfuß wenig Hoffnung. Als sie durch Mizzi ersetzt wurde, oder war es eine andere? – und das erste, schmerzlichste Warten auf Klamm vorüber war, hielt sie noch heimlich nach einem Boten Ausschau, aber immer ungläubiger, immer müder. Ihr Blick, für andere, für Bertuch, noch stark, war schon von Hoffnungslosigkeit ergriffen, mit einem solchen Blick konnte sie Klamm nicht mehr gewinnen.

Bertuch hielt sich damals viel im Dorf auf, und doch entging ihm vieles, der junge, nichtige Hans zum

Beispiel, aber der wäre bei seiner Bedeutungslosig-
keit auch anderen entgangen.

Anfangs trank er noch sein Bier im Brückenhof, die
Wirtin alterte vor seinen Augen, früher so rüstig,
hielt sie jetzt häufig die Hand auf ihr Herz, atmete
schwer und sah in die Runde, als suchte sie die Ursa-
che für ihr Leiden. Die Bauern rückten dann näher
zusammen, senkten die Köpfe und schlürften ihre
Suppe schweigend.

– Verschont hatte es keinen, aber das waren alte
Geschichten.

»Was wollt Ihr denn?« fragte Brunswick schon ungeduldig. Er hatte ein von unterdrücktem Ärger ge-
rötetes Gesicht, die Stimme schwankte, und Bertuch
dachte schon, er hätte sich geirrt. »Na, Stiefel will
ich, was denn sonst. Aber nicht von Euch, dem Gesellen, der Meister soll sie mir machen.«

Brunswick lachte auf: »Ihr sprecht mit dem Meister,
und hättet Ihr Euch vor drei Jahren beeilt, hättet Ihr
sie billiger haben können. Damals übernahm ich
hier alles, seitdem bin ich der Meister«.

»Ich will den alten Meister, von dir will ich keine
Stiefel flicken lassen, geschweige denn neue machen.
Der alte Meister soll sie mir nähen, der Instrukteur
des Schloßfeuerwehr. Die Schloßfeuerwehr hat Ma-
növer und der größte Schuster, der auch der größte
Feuerwehrfachmann in diesem Dorf ist, wird dazu
gerufen. Was dem Obmann nicht gestattet ist, das
darf der alte Meister, nein, das muß er, denn ohne
ihn wüßte die Schloßfeuerwehr nicht, was sie tun
soll.«

»So wild wird es nicht sein«, entgegnete Brunswick
unbehaglich, »Ihr kommt mit der Nachricht zu spät,
der alte Barnabas kann nicht einmal aufrecht stehen,
er repariert seit Jahren keine Schuhe mehr, er wird

eine Feuerspritze von einem Schloßbeamten nicht unterscheiden können«, er lachte über seinen Witz. »Holt ihn nur, sagt ihm, er soll ins Schloß gehen, der größte Fachmann, hat man so was gehört«, er drehte sich zu seiner Frau, die am entfernten Ende der Stube im Sessel lehnte und an einem Kinderkleid stopfte. Sie blieb regungslos, dann sah sie auf, sah ihren Mann an und wandte sich wieder ihrer Arbeit zu.

»Nun, eine Spritze von einem Beamten zu unterscheiden ist nicht immer das Einfachste«, sagte Bertuch unbeirrt, »und es ist ein gutes Gleichnis, denn im Schloß ist nichts unmöglich, das wird Euch Eure Frau bestätigen können«. Sie machte eine ablehnende Kopfbewegung, als möchte sie nichts bestätigen, besonders nicht ihrem Mann.

Bertuch nickte einverstanden. »Und was die Stiefel angeht, reparieren wird er vielleicht keine mehr wollen, aber daß er mir aus alter Freundschaft neue näht, das möchte ich hoffen. Hier, dieses Stück Ziegenleder, seht Ihr, wie geschmeidig es ist, das hat mir der Unterkastellan gegeben, als ich beim letztenmal Gemüse brachte. Ich hatte vom Schloß nie eine Entlohnung bekommen, wozu auch, schon, daß sie es von mir nehmen, ist genug, aber diesmal sagte der Unterkastellan, hier ist was für dich, es liegt schon lange da, ich sah nur, daß deine Stiefel noch gut waren, jetzt im Winter kannst du aber neue brauchen.«

»Das Schloß hat dich also entlohnt, wahrscheinlich wollen sie mit dir nichts mehr zu tun haben«, sagte Brunswick schnell.

»Ob sie von mir was wollen, weiß ich nicht, aber sie haben meine bisherigen Dienste anerkannt. Außerdem haben sie mir damit einen Auftrag gegeben, den ich hier schon zur Hälfte erfüllt habe.«

»Ihr habt nichts erfüllt, nur Verwirrung gestiftet.

Und wenn ich etwas von diesem Auftrag verstehe, dann, daß Ihr auf mich verwiesen worden seid.«

»Nicht auf Euch, sondern auf den Meister, der meine Stiefel machen wird, und das seid Ihr wahrlich nicht«, sagte Bertuch schon im Hinausgehen zu Brunswick, der ihm bis an die Schwelle gefolgt war, es war Sonne draußen.

Ich habe die Augen geschlossen und wärme mich vor dem offenen Fenster. So trifft mich Jakob an, er hat den Schlüssel, macht davon aber sonst ohne Anruf keinen Gebrauch. Er hat in der Wohnung Doppelstecker angebracht und Wackelkontakte behoben; die gelegentlichen Ausfälle meiner Schreibmaschine und die Pannen bei meinem Fahrrad repariert er schnell.

»Warum gehst du nie ans Telefon?«

Wir erschrecken beide, ich bei seinem unerwarteten Erscheinen, er vor meiner Lage im Rollstuhl.

»Was ist passiert? Hast du einen Unfall gehabt?«

»Nein, warum?«

»Nur so, ich dachte, es sieht wie ein Rollstuhl aus«, sagte er erleichtert ätzend.

»Ja, das ist mein Universalsessel, ersteigert. Du müßtest dir auch so einen besorgen.«

»Ich könnte ihn auch gebrauchen«, er zieht sein Hosenbein hoch und zeigt seine Kniescheibe in Monks Fixation.

Ich muß lachen. Er hoffte, mit seinem Gebrechen Eindruck zu machen, und jetzt sitze ich im Rollstuhl. Als Mathematiker sieht er die Inkompatibilität, gibt aber nicht auf: »Die Schulter habe ich mir wahrscheinlich auch angerissen.«

»Was hast du gemacht?«

»Ich bin gestern in einem zugewachsenen Steinbruch abgerutscht.«

»Hier gibt es einen Steinbruch?«

»Es war unterwegs vom Fakultätentag. Da gibt es so schöne Wälder, gar nicht weit von hier, ich mußte gleich an dich denken.«

Ich umarme ihn und küsse seinen verschwitzten Nacken. »Das tut mir schrecklich leid. Übrigens, da gibt es eine Stütze, warte«, ich blättere in meinem Katalog. »Hier, die Kieler Abduktionsschiene, unter dem Hemd tragbar.«

»Du meinst, beim Erklettern von Steinbrüchen unentbehrlich?«

»Du kannst natürlich auch in Gehgipsgaloschen hin.«

»Zeig mal her.«

Ich schiebe ihm den Katalog aufgeplättet bei Rollator und Gehwagen zu. Er blättert über Fingerschienen, Bloon-Bandagen und Halswirbelstützen nach Schanz und Erich von Stroheim zu dem Abduktionsgerüst zurück, begeistert sich an der Konstruktion.

»Das ist ein perfekter Roboterarm, wo sitzt der Mechanismus?«

»Welcher?«

»Der den Arm bewegt.«

»Der soll doch ruhen. Ich dachte, du hättest eine abgerissene Schulter.«

»Und ich dachte, du hättest ein Bein weg. Oder ist es gar die Hüfte?« Er legt die Fingerspitzen aneinander, zierlich betend, mit einem frömmlichen Lächeln, wie eine alte Tortenfresserin, daß ich mich mit einem lauten »Atari!« auf ihn stürze und ihn zu Boden werfe, was eine Kleinigkeit ist, da er darauf nicht gefaßt war und in Monks Streckverband nicht standsicher ist. Er zieht mich mit, wir wälzen uns auf dem Boden und mit diversen Kniffen bringen wir uns zum Lachen, er und Gackern, ich, so daß die AKW-Gegner von unten mit ihrem üblichen Besen gegen die Decke pochen, sie haben mich schon einmal beim Liegenschaftsamt, dem

Vermieter, angezeigt wegen nächtlichen Musikhörens, und seit ich mit dem Rollstuhl in der Wohnung übe, sind sie nervös geworden.

Ich schlage mit der Faust zurück und rufe gegen den Boden: »Kommt doch hoch!«, bereit, ihnen mit dem Rollstuhl entgegenzufahren, es bleibt aber still.

Allmählich beruhigen wir uns, ich liege mit dem Kopf auf Jakobs Bauch, seine gute Laune, seine Behutsamkeit halten mich hier am Leben, während der verkrochene Paranoiker in Göttingen sich noch immer nicht aus seinem Gerümpel gelöst hat.

Jakob steht auf, ich helfe ihm hochzukommen.

»Ich habe etwas mitgebracht.«

Er nimmt aus seinem Einkaufsnetz eine Papiertüte und leert mit bedeutungsvoller Miene eine Menge dunkelrot-violetter Lamellenpilze auf den Tisch, er weist auf sie hin und läßt den Anblick des Haufens für sich wirken.

»Violetter Ritterling.«

»Aha.«

»Ein geschätzter Pilz.«

»Wofür geschätzt?«

»Ein gesuchter Speisepilz«, sagt er ungeduldig und hält mir seinen Pilz-Guide her.

»Vom September bis in den Spätherbst«, lese ich ihm vor.

»Aber hier, ›einzelne Exemplare schon im Mai‹.«

Mir scheint, daß die Farben nicht stimmen, er meint, daß Druckfarben immer etwas versetzt sind, und trägt sie schon händevoll in die Küche.

Ich sehe, wie er die Pfanne aufsetzt, Speck und Zwiebel schneidet, die Pilzscheibchen dazu kippt, in dem Dunst tränen mir die Augen, ich will im Zimmer Durchzug machen und stolpere über die Fußstütze des Rollstuhls. »Vergiß Kümmel nicht!« – Pilze waren immer meine Sache.

»Ja, ja«, er drängt mich mit dem Schließen der Küchentüre ab. »Und Eier!« werfe ich ihm noch nach.

Wir essen, ich nehme wenig, weil ich volle Teller hasse, und außerdem kann ich mein Mißtrauen ausspielen. »Du brauchst sie nicht zu essen, ich habe Hunger.«

Er lobt das Essen so, wie ich meine Kartoffelsuppe lobe, immer in Erwartung, daß der andere sich anschließt.

»Der Kümmel macht sich gut«, gebe ich zu.

»Und die Pilze? Die sind doch köstlich.«

»Das waren die Kahlen Kremplinge im letzten Herbst auch.«

Ich esse mit ihm gern, ich sehe gern zu, wenn er kocht, wenn er die Kartoffeln schält und Gemüse schneidet, sich in meiner provisorischen Bad-Küche zurechtfindet, die weggestauten, mir unnütz vielfältigen Reibeisen entsprechend speziell einsetzt.

Ich erzähle vom Pilzesammeln in meiner Kindheit, Steinpilze so groß, daß ich fast unter den Hut kriechen konnte, die waren meist schon madig, wir sammelten die kleineren, mein Vater schnitt sich Scheibchen davon und bestreute sie mit Salz, so zeigte er uns das Überleben in der Wildnis – wir aßen die Butterbrote und abends die gedünsteten Pilze.

Die Pilzbesessenheit der Slawen. »Und was ist mit den Deutschen. Essen die etwa keine Pilze?«

»Sie sind nicht so mykophob wie die Skandinavier oder die Briten, aber viel Ahnung haben sie nicht. Die Thüringer und die Sachsen vielleicht, auch die Bayern, die grenzen an die Tschechen, aber sonst? Und die Österreicher natürlich, mit ihren Schwammerln.«

»Ihr Kakanier seid wieder unter euch.«

»Nimm Karl Kraus, nimm Freud, die bedeutendsten Österreicher sind aus Böhmen und Mähren.«

Jakob versucht mich von diesem Thema abzubringen, indem er in meinen Rollstuhl steigt und die Rücklehne mit einem Hebelgriff in Sitzneigung stellt; ich hatte lange suchen müssen, ehe ich ihn fand. Er macht eine Runde durch die Zimmer, freut sich, daß er fährt. Er vergleicht die Ausführung der Räder und der Griffe mit den Abbildungen im Katalog und stellt fest, daß es sich um ein ausgelaufenes Modell handelt. Er schlägt vor, aus zwei Fahrrädern und Segeltuch einen leichten geländegängigen Rollstuhl zu bauen – »dann könntest du dich beim Marathon Kopenhagen-München bewerben«.

»Sie würden mich nicht nehmen. In der sechsten Klasse gingen wir zur Behinderten-Spartakiade, die Schulen sollten die Tribünen füllen, es war Pflicht. Wir saßen zu weit, um zu verstehen, worum es ging. Wir sahen nur ab und zu, wie die Läufer gegen die Schiedsrichtertische prallten, es war ungeheuer komisch, und wir wurden mehrmals mit dem Megaphon gemahnt, endlich ruhig zu sein, weil die Blinden sonst die Lenkungspfiffe nicht richtig hören könnten. So integriert der Staat die Behinderten. Es genügt, wenn er zwei verständnislose Gruppen aufeinander losläßt. Aber die Betulichkeit der Aufklärungsprogramme im Fernsehen ist auch nicht besser.«

»Was willst du dann? Soll man sie verschweigen?«

»Man soll sie nicht als Lebenskämpfer, als Zukunftsmodell aufputzen. Mit den immer schnelleren Autobahnen werden sie auch immer fitter. Das Fernsehen macht das Krüppelsein immer genießbarer. Mich ekeln diese Angebote an. Die Gesunden gucken nur aus schlechtem Gewissen. Ich sehe doch, wie es ist, wenn ich im Rollstuhl vor den anderen sitze.«

Jakob geht abwaschen. Er verlangt nach seiner hinterlegten Rohrzange, der Wasserhahn sei undicht.

Männer und Technik. Ihre somnambule Sicherheit im Umgang mit Geräten, Vehikeln, allem, was sich bewegt. Während ich den alten Skalen nachtrauere – Sundsvall, Hilversum, Beromünster, Brasov –, begeistern sie sich an der Digitalanzeige.

Männer haben verheerende Eigenschaften.

Wann hat mir ein Mann imponiert?

Der Veterinär bei der Kuhoperation, der eimerweise den Inhalt ihres Darms leerte, mit dem Arm bis zur Achsel in ihrer Seite, bis er einen zwanzig Zentimeter langen zerfressenen Nagel herausholte. Es war während unserer landwirtschaftlichen Praxis, einmal wöchentlich vier Jahre lang in einem Staatsgut.

Wenn mich die Literatur nicht ernähren kann, kann ich es in der Landwirtschaft als gelernte Hilfskraft versuchen, ich habe beim Abitur auch einen Gesellenbrief bekommen.

Jakob liest in meinem Rehabilitationsversuch der Familie Barnabas, der auf meinem Schreibtisch liegt.

»Wofür schreibst du das. Für die ›Rehabilitation International‹?« Er hat den Titel der Gesellschaft in meinem Katalog gefunden. »Dann kannst du auch für die ›Deutsche Multiple Sklerose Gesellschaft‹ schreiben, oder für die ›Rheuma-Liga‹.«

»Das hat noch Zeit. Eigentlich geht es Amnesty International an.«

Am Abend, mit zuckendem Mund und verspanntem, krampfendem Magen setze ich mich an die Maschine. »Liebe Frau Dähncke, der Violette Ritterling ist doch nicht zu empfehlen.

Hochachtungsvoll, Francine Pallas.«

Später finde ich in den Abbildungen, daß unsere Pilze auch eine Ähnlichkeit mit dem Mairißpilz haben, Prädikat sehr giftig, sie waren nur dunkler.

Ich setze meine Rehabilitationsarbeit unter erschwerten Bedingungen fort. Muscarin als *mother of invention?*

Ich telefoniere Jakob, erreiche ihn erst nach Mitternacht, weil er mit seinen Kollegen nach dem wöchentlichen Abrüstungskolloquium noch in der Uni-Kneipe festgehalten war. Meine Zweifel an seinen Pilzen lehnt er ab, ihm ginge es blendend. »Wie verträgt sich damit eigentlich deine slawische Mykophilie?« – Er ist noch frech, wo ich dreimal anrief und dachte, er würde nicht mehr antworten, wo ich hier um ihn bange.

»Lamellenpilze fraßen wir nie, allenfalls Pfifferlinge und Parasol!«

»Sie könnten Frost abbekommen haben.«

»Im Mai? Na, egal, ich sehe, du warst mit deinen Uni-Freunden, bist jetzt selber so ein Freundchen, rüste du bloß ab!«

Ich lasse unsere Verabredung, ich möchte arbeiten.

DER BRIEF LAG AUF DEM TISCH, ein abgewetzter Umschlag aus grobem braunem Papier, umschnürt mit einem Strick, der in der Hülle Einschnitte hinterlassen hatte, der Name des Adressaten unleserlich und zudem fast zur Unkenntlichkeit ausgeblichen. Er erinnerte sie an nichts, an fast nichts, es war schon zu lange her, daß sie mit ihm zu tun hatten. Das Siegel der Schloßbehörde dagegen, mit dem gräflichen Wappen in der Mitte, einem Adler, der eine Schlange in den Fängen hielt – eine viel zu kleine Schlange übrigens, das siegreiche Auffliegen und Präsentieren der Beute war fast unverständlich bei einem so großen Tier –, war unversehrt und glänzte vor Schwärze.

Wann hatten sie es zum letztenmal gesehen? Es war so lange her, daß sie sich eher an ihren vergessenen Namen erinnerten als an diese hilflose Schlange, der Adler überraschte sie nicht, auf den waren sie förmlich gefaßt – wenn sie überhaupt darauf gefaßt waren, dieses Wappen so nahe vor Augen zu haben, nur für sie bestimmt. Auch in Zeiten ihres größten Ansehens im Dorf kamen Briefe nie, keine Aufträge, keine Mahnungen der Behörde, die kleinen Anweisungen erledigte der Dorfvorsteher, die noch kleineren der Lehrer, im Vorbeigehen, mündlich, aber es war schon lange niemand vorbeigekommen. Schon drei Jahre lebten sie ohne Mahnung.

Sie waren jetzt allein mit diesem Siegel, woher sollten sie die Kraft nehmen, den Knoten zu lösen, den vergessenen Namen anzunehmen – für einen Augenblick vielleicht nur, ehe er ihnen durch den Brief endgültig aberkannt wurde –, sie waren schwach geworden, sie wollten sich zu keiner Identität, zu keinem Namen mehr anspannen, es genügte, nach dem Jüngsten, dem Unschuldigsten von ihnen zu heißen, sie brauchten einen Namen so selten.

Der Brief war lange unterwegs gewesen, in dem alten Haus, das Brunswick übernommen hatte, möglicherweise liegengeblieben – wer hätte auch auf ein amtliches Schreiben verzichtet, jeder mußte der Ausstrahlung des Stempels erliegen, den Adressaten vergessen. Die Schrift konnte sich neben diesem Glanz nicht bewahren, der Name verflüchtigte sich, bis für Brunswick nur das Siegel blieb. Er ließ den Brief ungeöffnet, es war kein Brief zum Öffnen; nur der Umschlag zählte.

Vielleicht kamen ihm eines Tages Zweifel, vielleicht hatte er sich an dem fremden Brief sattgesehen. Er gönnte ihn dem Adressaten immer noch nicht, er dachte schon, der alte Schuster sei gestorben, dann hatte ihn wieder jemand auf der Straße taumeln sehen; die Bittgänge des Schusters waren sprichwörtlich geworden – wie der alte Barnabas, sagten die Dorfleute, den richtigen Namen wußte keiner mehr oder mochte keiner wissen. Brunswick behielt ihn für sich, eigentlich war er auf dem Umschlag auch nicht mehr zu entziffern.

Er hatte den Brief eines Abends zum Dorfvorsteher getragen und unter dessen Tür durchgeschoben. Es war nicht ausgeschlossen, daß er dort verlorenging, durch unachtsames Türöffnen, oder mit dem Fuß weggeschoben zu anderen Akten, die auf dem Boden lagerten, geriet, er konnte in einen Schrank verschlossen werden. Und wenn der Adressat ihn doch bekam, was war zu verlieren, die Kräfte, um Brunswick aus dem Haus zu jagen, die Kundschaft wieder an sich zu ziehen, hatte der Alte nicht mehr.

Vielleicht hatte er, Brunswick, gegen behördliche Entscheidungen verstoßen, vielleicht aber nur eine große Unvorsichtigkeit verhindert. Die Beamten konnten ja nicht immer alle Umstände überblicken, dazu war die Zusammenarbeit vieler Abteilungen nötig, und ein so unbedeutender Fall wie der der Schusterfamilie konnte leicht voreilig entschieden werden. Aber vielleicht ging es um die Angelegenheit dieser Familie gar nicht, vielleicht ging es vielmehr um seine, Brunswicks Angelegenheiten, der Name war ja undeutlich, das Haus aber, Alte Bleiche, war nach wie vor leserlich, und es war seine, Brunswicks Adresse. Und wenn er den Brief nicht geöffnet hatte, war es schließlich seine Sache.

Schwach ist man, daran ändern die stärksten Erlässe nichts.

Er hätte den Brief schon längst loswerden müssen, es schauderte ihn, wenn er an seine Kühnheit dachte. Und wenn inzwischen weitere Briefe an den alten Schuster im Umlauf waren, mit Nachfragen? Und eines Tages würde es an den Tag kommen, daß er eine wichtige Botschaft des Schlosses verzögert hatte – ja, nur verzögert, nicht wirklich verhindert, denn wenn auch mit etwas Verzögerung (war es vielmehr nicht erst jetzt die rechte Zeit, den Adressaten zu berücksichtigen, wo er bisher nur die

Adresse beachtet hatte?) – so hat er den Brief endlich in die richtigen Hände geleitet. Der Dorfvorsteher wird schon die notwendigen Schritte wissen, den Brief zustellen zu lassen – in die zerfallene Kate, wo möglicherweise kein sauberer Ort zum Hinlegen des Briefes zu finden war, in Dunkelheit und Abwesenheit aller –, aber sie sind ja immer drinnen verkrochen, man möchte daran nicht denken!

Der Brief liegt da, sie stehen um den Tisch herum, schüchtern, erschrocken blicken sie auf das Wappen, aber auch der Knoten wird mit Ehrfurcht betrachtet, die alte Adresse mit Verwunderung buchstabiert, der Familienname mühsam erkannt. Der Vater nähert sich schlurfend, die Verzweiflung der Jahre, die Entbehrungen trägt er mit sich, er greift auf den Tisch, ohne den Brief zu erreichen. Olga erfaßt den Brief, der an den Rand gerutscht ist, zieht die gekreuzten Bindfäden voneinander und faltet den Umschlag auf. »An ...«*, sie liest laut den Namen der Familie und sieht sich im Kreis um, sieht jeden einzelnen an – den zitternden Vater, Barnabas, der wieder zu einem Kind geworden ist, Amalia, die am entferntesten steht und ihr Bild in der Fensterspiegelung unbewegt anschaut, die kranke Mutter, die sich vom Bett nicht mehr erheben kann, wie sie erschaudert, die Augen aufreißt und horcht – herein, sagt sie mit einer erhabenen Stimme, wie früher, wenn sie Besuche empfing, immer etwas herrscherisch.
Der Vater hat den Brief schon ergriffen und nun versucht er mit den gichtigen Händen nochmals, den Knoten zu lösen, der sich am Rande des Blattes

---

* hier setzen Sie den Namen Ihres Vaters ein, – des Alkoholikers, verirrten Parteimitglieds, – dem Sie nach drei Jahrzehnten endlich verziehen haben

verfangen hat, und als Olga und Barnabas ihm helfen wollen, zuckt er mit dem Umschlag zurück – das ist mein Brief!

Er starrt auf das Geschriebene, sucht nach einem Grund, aus dem er es verstehen könnte, macht einzelne Wörter aus, liest sie mehrfach und findet zuletzt eine Botschaft, die für ihn vor Jahren aufgegeben wurde.

»Sie sind als Dritter Instrukteur der Schloßfeuerwehr angenommen. Sortini.«

Soll ich mit meiner Vergiftung Jan anrufen? Vielleicht über die Feuerwehr?

13

Das Gestell ist sehr unhandlich, besonders in den engen Treppenbiegungen, wo ich mich mit einer Hand am Geländer festhalten müßte, wenn wieder eine Teppichstange verschoben ist und der Läufer mit mir die nächste Stufe hinunterrutscht. Vor dem Haus ziehe ich das Wetter-Cape an und setze mich darin zurecht, die Ärmel hochgestreift zum Anfahren. Es ist halb zehn, Sommerzeit, es fängt an zu dämmern, im Nahbereich sind keine Passanten.

Die Platten des Bürgersteigs sind härter als die Matte in meiner Wohnung, der Rollstuhl fährt darauf leichter, ich bin aber sicher, daß ich in der leeren Straße beobachtet werde. Als ich an der Straßenecke ein Paar auftauchen sehe, muß ich mir erst klar machen, daß ich nicht aufspringen und plötzlich schieben kann, das wäre viel auffälliger als sitzenzubleiben. Die beiden halten sich an der Hand, vor dem Rollstuhl gehen sie auseinander, der Junge weicht auf die Fahrbahn aus, das Mädchen macht sich an der Hausseite schmal, um mich vorbeizulassen, die Selbstverständlichkeit, mit der es geschieht, macht mir Mut.

Wo der Bürgersteig um die Ecke biegt, wird er so eng, daß ich herunter muß, der Bordstein ist aber zu hoch, ich habe noch keine Übung, mich mit den kleinen Vorderrädern langsam hinunterzulassen und an den Hinterrädern den Stand zu halten.

Ich bin nach dem Ausweichen der beiden schneller gefahren und zu weit, um jetzt den Rollstuhl wenden zu können, ich klettere heraus, unter dem Überhang sieht man die Füße nicht – niemand kann wissen, welche Behinderung ich habe –, und lasse ihn schief herab, die Achse kratzt auf dem Bordstein.

Ich setze mich wieder hinein, obwohl das Katzen-
kopfpflaster sehr holprig ist, durch Wölbungen in
Haufen verschiedener Dichte zerfällt, in den Fugen
liegen bunte Glassplitter, jeden Tag neue, ich kann ihnen nicht ausweichen; mit dem Fahrrad war ich nicht
so hilflos. Der Rollstuhl schüttert, ich ziehe mich weiter und spüre jetzt schon, wie die Arme erlahmen. Aus
der Gegenrichtung kommt ein Auto, es ist eine Ein-
bahnstraße, ich muß zur Seite, ein Vorderrad klemmt
in einer größeren Steinlücke. Gegenüber der Kneipe
lehnen Jugendliche an der Mauer einer früheren Fabrik
oder sitzen mit ihrem Bier auf der Bürgersteigkante.
Das Auto hält an, ich stemme einen Fuß auf den Boden, hebele das Rad aus dem Loch und fahre in eine
Parklücke. Sie sehen gelassen zu, der Mann im Auto ist
auch ruhig, nur ich hetze mich.

Nachdem das Auto vorüber ist, überquere ich die
Straße, um über die Fabrikeinfahrt auf den bequeme-
ren Bürgersteig zu kommen. Es fährt sich weicher, ich
habe aber keine Lust mehr, meine Runde um das Viertel erscheint mir jetzt als ein hirnverbrannter Einfall.

Ich biege rechts ab, wobei ich fast mit einem Radfah-
rer zusammenstoße, er hat vorher ins Leere geklingelt
und rast blind um die Ecke, ich kann gerade noch
stehenbleiben. Als ich selber nach der Klingel suche,
stelle ich den ersten Mangel an meiner Ausstattung
fest, in dieser Situation hätte sie allerdings auch nichts
genützt.

Vor mir fährt die Straßenbahn, die Autos beginnen
zu bremsen; durch die geöffnete Tür des Anhängers
sehe ich an der Haltestange vorgelehnt meinen Studenten, den Arno-Schmidt-Hasser, mir nachstarren – das
Gesicht hätte ich auch schon gern vergessen. Ich lasse
den Stuhl ausrollen und lehne mich zurück – ein Opfer
meines Berufs.

Am Cinema stehen Fahrräder in zwei Reihen, ich

komme knapp durch. Ich will mir die Bilder ansehen, ich brauche eine Pause, aber es steht schon ein Rollstuhl da und Kinogänger. Sie lassen mich heran. Der andere, ein Junge, etwa zwanzigjährig, sieht flüchtig zu mir und nickt, macht mir vor den Bildern Platz, er wendet elegant auf der Stelle und fährt davon, ich sehe ihm neidisch nach; er ist berechtigt, es zu können.

Vor dem Gyros-Stand halten jugendliche Schnorrer Vorbeigehende an; einer, schon älter, ist mir seit meinem Einzug unangenehm bekannt, vor einem Jahr war er noch blaß, jetzt ist er rot aufgedunsen und schwankt ungehemmt. »Hast du zwei Mark für mich?« er hat mich nie ausgelassen, bei anderen genügen ihm fünfzig Pfennig. Ich soll auch den Kiddies immer Gyros-Pita kaufen, während sie sonst nur die Mark für das trockene Brötchen verlangen. Offensichtlich sehen sie mir an, daß ich aus dem Sozialismus komme, wo keiner verhungern darf.

Heute bin ich durchgekommen, ich habe ohnehin kein Geld mit, wie könnte ich es auch ausgeben: jede Kneipe hat Stufen oder mindestens eine Schwelle, eine Tür. Die massiven Glastüren neu eingerichteter Geschäfte sind sämtlich schwer zu öffnen und schnell beim Zufallen.

Auf dem Postamt Leineberg in Göttingen hat mir die Tür der Telefonkabine den Nagel des Mittelfingers durchgeschnitten, es fehlte die Dämpfung, beim kleinen Finger wäre der Schlag durch den Knochen gegangen. Unter dem durchgetrennten Halbmond trat pulsend das Blut hervor, die Fingerkuppe schwoll in Sekunden auf das Doppelte an und verfärbte sich dunkelviolett. Der Schalterbeamte sah schnell weg und sagte, er wäre nicht zuständig; dann, in der Apotheke gegenüber, wurde mir übel. Wir haben wegen dieser Türfalle mehrmals gemahnt, die Nichtzuständigkeit der wechselnden Schalterbeamten blieb bis zu meiner Abreise unverändert, die Tür ungedämpft, in der Zeit gab es zwei Gebührenerhöhungen.

Zwei Punkies mit Irokesenschnitt, goldorange und grün, sitzen auf dem Geländer an der Ecke, daneben ein Kahlrasierter in Militärstiefeln. Er steht breit da, die Ostentation seiner Haltung zeigt, daß er ein Zivilist ist, und kaut, wobei ihm von der durchgestochenen Wange ein Verdienstkreuz zweiter Klasse samt Banderole an die Mandibeln baumelt; *Bastard Marwenne*. Er steht im Weg, und die Durchgehenden, die nicht auf die Fahrbahn ausgewichen sind, steigen vor ihm die Stufen der Eckkneipe hoch und hinter ihm herunter. Ich fahre in meinem Rollstuhl auf ihn zu, seiner unverbrauchten Aggressivität entgegen, mit zusammengezogenem Magen und einer Behinderten-Miene.

Er zieht die Beine unter dem Vorwand, seine Körperlage zu ändern, rechtzeitig an; nächstesmal steht er vielleicht mit schwarzen Gläsern und Fünfpunkt-Armbinde im Weg, diese Requisiten aus dem Weltkrieg sind aber nur noch schwer unter der Hand zu kriegen.

Ich habe gewonnen und fahre als Sieger unvorsichtig, so daß ich einen Jungen leicht anfahre, der mit seiner Gruppe zu wenig ausgewichen ist; vielleicht erwarteten sie, daß ich vorbeisteuere, was theoretisch möglich wäre, aber nicht bei meiner Praxis. Ich sage »Entschuldige«, er geht ohne Problem weiter, wippt mit der Hüfte zu seinem Freund.

Ich komme von der anderen Seite in meine Straße. Ich bin müde, aber die Reifen sind heil geblieben. Das Nieseln ist im Stillstand bemerkbarer, ich stehe ungern auf, zögere das Hochschleppen des Rollstuhls hinaus, er wird einen ungeheuren Krach machen, weil ich nur noch zerren kann.

Für meine Ausfahrt brauche ich den Rollstuhl aber

sowieso unten. Soll ich ihn auf der Straße parken? Hinter dem Haus ist eine Großgarage, da muß auch ein abschließbares Tor sein, aber ich kann nicht zu Fuß hinkommen und mich erst dort hineinsetzen. Ich brauche ihn vor dem Haus, abschließbar.

Er paßt gefaltet gerade neben mein Rad hinter die Transformatorsäule, ich schließe sie zusammen, das Wetter-Cape über beide.

Auf dem Bretterzaun steht Jakobs Botschaft noch immer leserlich: »Paß bloß auf! Dich liebe ich.«

Es fällt ihr wieder ein: seine Wärme, seine Pilze, seine Umarmbarkeit, seine Fröhlichkeit.

Ich dich auch.

Auf dem Geländer liegen meine Arme wie taub, morgen werde ich Muskelkater haben, es geht mir gut.

Nach einigen Tagen bemerke ich die Neugier der Nachbarn hinter den Fenstern. Ich fahre nur abends aus und kurz, aber es kann ihnen nicht entgangen sein, daß es in ihrer Straße einen Rollstuhl gibt.

Eine Unklarheit entsteht, wenn ich die Positionen wechsle, den Rollstuhl entfalte und mich hinsetze, oder von einer Fahrt zurückkomme, noch bei Licht oder von der Laterne beleuchtet, den Rollstuhl zusammengefaltet an mein Rad schließe. Ich hinke dann deutlich, aber es ist zu sehen, daß ich mich ohne den Rollstuhl behelfen kann, sogar die Treppen allein hinaufkomme.

Die Frau von gegenüber hätte mich schon angesprochen, sie müßte mir bloß einmal auf der Straße direkt entgegenkommen, mich mit meiner frischen Behinderung ertappen, aus der Entfernung überwiegt die Unklarheit über mich und mein verschlossenes Gesicht.

Bei trübem Wetter fahre ich manchmal schon tagsüber. In Läden mit flachen Schwellen komme ich schon ohne Mühe, wenn ich unbemerkt bleibe. Sonst werden mir die Türen aufgehalten, meist, wenn ich noch zu weit entfernt bin, ich beeile mich dann. Aber ich kaufe jetzt ohne Einkaufswagen weniger, nur, was ich brauche und was in den Rollstuhl paßt.

Bei Gemüse scheint es, daß mir frischere Ware ausgesucht wird, aber eine durchgehend aufmerksame Bedienung kann ich nicht feststellen. Ich kann bloß in diese Geschäfte nicht mehr ohne den Rollstuhl und muß sie mir merken – allenfalls mit einer komplizierten Krücke als Ersatz.

Der schwarzlackierte Stock der Frau vor mir nützt ihr im Geschäfts nichts. Sie kauft pröbchenweise Käse und Wurst, bekommt auch eine Scheibe für den Seidenpinscher mit Schleife, den sie unter dem Arm eingeklemmt hält. »Vielen Dank, aber er darf nicht, dann esse ich's eben«, und steckt sich das Röllchen in den stark rot markierten Mund im weißgetünchten Gesicht, vergipste Falten, darüber schwarzes struppiges Haar, wie Valeska Gert. »Und noch eine Banane, aber ganz weich, damit ich das volle Aroma auskosten kann«, sie zieht den Duft ein, mit gespannten Nasenflügeln, sie spielt Theater, die Gemüseverkäuferin wechselt mit der Käseverkäuferin einen Blick, und die Kassiererin macht mit, weil die Rechnung zu niedrig sein wird.

Draußen hält sie Passanten an: »Ach, könnten Sie mir bitte ...« und läßt sich für eine Weile die Tasche halten, ruht sich aus, indem sie nach dem Portemonnaie sucht oder dem Hündchen das Haar zurecht zupft, es soll leicht wirken.

Sie hinkt nicht auffällig, geht sehr vorgebeugt, fast waagerecht auf den Stock gestützt, auf hohen Stöckelschuhen in schlotternden Hosenbeinen, die Beine darin müssen sehr dürr sein, sie wiegt mit dem Pudel kaum vierzig Kilo.

Ich fahre ihr nach und vorüber, als sie wieder eine

Pause macht. Ich würde ihr die Tasche abnehmen, ich hatte Valeska Gert gern. Sie hält in ihrem Kramen erwartungsvolle inne, bis sie sich besinnt, daß Hilfe aus einem Rollstuhl für sie nicht in Frage kommt; dafür kläfft mich ihre erschrockene Schleifchen-Ratte an.

Mit anderen Rollstuhlfahrern gibt es flüchtige Sympathiefunken, bei mir nicht frei von schlechtem Gewissen. Den Überwurf kann ich aber weglassen, die anderen haben auch Beine, außerdem wird es wärmer.

Die übrigen interessieren mich immer weniger, ihre Rücksichten sind für mich meist eine Hetze, ihre unverlangten Eingriffe eine Zumutung.

An einer Kreuzung stößt mich ein wohlgemeinter Ruck vor, die Ampel hat gerade umgeschaltet und schnarrt für die Blinden. Ich sehe mich um, ein breiter Mann schiebt mich einhändig, unter dem anderen Arm hält er seine Aktentasche, ohne mich anzusehen, über die Straße. Neben mir hasten Fußgänger, um es noch bei Grün zu schaffen. Drüben dreht er mich in seine Gehrichtung. »Einmal ein bißchen schneller, nicht?« sagt er gutmütig stark und geht weiter. In mir vermischt sich ein Art Dankbarkeit mit Empörung, das Unbehagen überwiegt.

Ich hätte auch Schlimmeres erleben können. In ›Los Olvidados‹ setzen Kinder einen Beinlosen hinaus, um in seinem Wägelchen die Straße hinunterzufahren.

Eine andere Gutmütigkeit, geradezu ein Willkommen, strömt mir von den Pennern auf dem Stadtwall entgegen, einer von ihnen sitzt auch in einem Vehikel. Wenn ich vorbeifahre, rufen sie mir Fröhliches zu und winken mit Bierbüchsen und Rotweinflaschen.

Ich möchte mit ihnen einmal Champagner trinken, gemeinsam lärmen. Spaziergänger könnten empört stehenbleiben und laut etwas über die Würdelosigkeit von solchen Versehrten bemerken. Dann würde ich ihnen das Etikett zudrehen – Veuve Cliquot, brut –,

»und wenn Sie schon einmal da sind, können Sie uns Krüppeln noch eine bringen«.

Ich realisiere es vorläufig nicht, obwohl mich nichts hemmt, außer dem Zwang, die Flasche aus Stimmungsgründen von Mund zu Mund herumzureichen. Ich verderbe mit meinem schnellen Ekel jede Geselligkeit, jede wohngemeinschaftliche Familiarität.

Dem Kumpelgefühl bin ich sehr nahe, ohne Trinken, als ich am Stadion vorbeifahre und der Wächter am Einlaß mich mit einer zwingend großzügigen Geste hereinwinkt, es läuft die zweite Halbzeit, die unbedachten Tribünen auf dieser Seite sind kraus von Menschenköpfen, in der Höhe scheinen sie überzuhängen.

Es ist die Atmosphäre eines kollektiven Triumphs. Die hiesige Mannschaft steht vor dem Tabellensieg. Sie wird Vize, weil der Tabellenführer sich im Parallelspiel ebenfalls behauptet – ein Zwischenresultat, das über die Transistorradios den Ausgleich für die kontraparallele Mannschaft verkündet, löst ein Hoch im Publikum aus, obwohl auf dem Rasen das Spiel gerade im Mittelfeld stagniert, und ein paar Sekunden später ein enttäuschtes Abseufzen, als die Nachricht als Irrtum widerrufen wird – aber die Freude nachher ist nicht verringert.

Ich werde weiter geschleust, und obwohl die Leute dicht stehen, öffnen sie einen schmalen Weg für mich, ich komme bis an die Barriere, Polizei mit Hunden weist mich weiter, öffnet eine Sperre und läßt mich in den Binnenraum. Das erste, was ich sehe, sind Rollstühle hinter dem Tor. Zunächst denke ich, verletzte Torhüter, dann, ehemalige Fußballer, Sportinvaliden, ehrenhalber hier postiert, aber hier ist nicht Frankreich, es können eigentlich nur normale Behinderte sein, wie ich, Fußballfans, denen der Staat den Eintritt bezahlt.

Ich möchte jemanden fragen, gegen wen gespielt wird, aber sie sind alle vom Spiel absorbiert und zusätzlich von der Direktübertragung. Die Zuschauer pfeifen, singen, rufen Parolen im Rhythmus, schreien, schwenken Vereinsfahnen, hupen und blasen – es sind nicht so feine Instrumente wie im Naturtheater von Oklahoma, aber sie machen nicht weniger Lärm.

Das jubilatorische Betragen erreicht mit dem Abpfiff einen Höhepunkt; ich sehe benommen zu, wie ich wegkommen kann, und steuere den beiden letzten Rollstühlen, die ich noch erblicke, nach. Die Menge drängelt an mir vorbei, die Rollstühle und ihre Insassen werden in Autos verladen.

Ich fahre über senfbeschmierte Bratwurstpappen, weggeworfene Eintrittskarten und Prospekte, der Boden ist weiß bedeckt, wie in Prag, als über die Stadt Tonnen von Flugblättern abgeworfen wurden, mit der Erklärung, warum und wie man das Land von der Konterrevolution befreit hatte.

Als ich eins von den Flugblättern später von einer Hauswand herunterriß, stand plötzlich ein asiatischer Soldat neben mir und schrie unverständlich, nicht russisch, und zeigte auf das zerknüllte Papier, ich sollte es aufheben. Ich winkte ab, ich war zu müde. Er hatte eine MP, war auch übernächtigt, schoß aber nicht. Die meisten wußten nicht, wo sie waren, manche tippten auf Frankreich oder Westdeutschland und waren erschüttert, als wir russisch sprachen, die Asiaten verstanden auch dann nicht und blieben unberührt, es war nicht ihre Sprache.

Ich fahre in die entgegengesetzte Richtung, ich lasse mich von einem lokalen Jubel nicht mitreißen, ich bin aus der Trauer einer ganzen Nation weggegangen, und das war zwingender.

Sie war damals auch nicht mehr in Trauer, nur lethargisch, aus der Trauer wäre ich nie weggegangen.

Ich höre Explosionen, auf der anderen Seite des Flusses wälzt sich schwarzer Qualm hoch, die Flammen schlagen in den Rauch hinein und erreichen die Hochspannungsleitung darüber, weißblaue Blitze fahren nach knisterndem Sprühen in das Feuerrot hinein.

Ich denke an eine Vergeltungsaktion der gegnerischen Seite, aber die Schrebergärten liegen so apolitisch, so unsportlich abseits, daß es sich wahrscheinlich um das übliche Verbrennen von Laub und Reifen handelt, gekoppelt mit der versehentlichen Nähe eines Heizölfasses.

Schon seit einiger Zeit sind Feuerwehren zu hören, sie kommen aber nicht näher, die Löschwagen scheinen sich zwischen den Hecken verfahren zu haben, der alte Barnabas fehlt hier. Auf dieser Seite sieht keiner zu, alle sind in der Stadt, um zu feiern.

Über dem Fluß schwebt ein buckliges Riesenflugzeug, das wie ein vorzeitlicher Wal aussieht. Es ist so entrückt in seiner chimärischen Langsamkeit und Lautlosigkeit, daß es mit dem Brand und dem Feiern nichts zu tun haben kann. Es kreist zweimal über die Gartenlandschaft und verschwindet hinter dem Gebüschhorizont in der Richtung des Flughafens.

Ein Boot der Wasserpolizei fährt vorbei, eine straffe Leine führt schräg nach hinten ins Wasser, es zieht eine schwarz-weiße, vertraut tierische runde Gestalt hinter sich her, es könnte Orcinus orca sein, ein Mörderwal, der von der Nordsee in die Flußmündung geraten ist; ich erkenne eine ertrunkene Kuh, es ist ihre aufgeblähte Seite, die glatt und glänzend in die Heckwelle taucht.

Als sollten mir mit diesen Environments die verborgenen Möglichkeiten der Stadt offenbart werden – aber was kann mich nach Prag noch halten? Vielleicht Berlin.

Ich höre ein Surren, ein älterer Mann in einem Elektro-Rollstuhl überholt mich, er sieht mich nicht an, nur nach meinem Fahrzeug, es ist ihmn offensichtlich zu schäbig, veraltet, zu einfach gebaut. Der penetrante Blick ärgert mich, ich möchte ihm »du Arschloch« zurufen, obwohl ich »du«nicht sagen würde, er ist aber bereits außer Rufweite, er hat die Geschwindigkeit gesteigert, ich stemme mit voller Kraft vorwärts, verkürze die Entfernung auf die Hälfte, er sieht in den Rückspiegel und läßt mich noch näher kommen, dann hängt er mich mit einem Hebelgriff wieder ab; ich komme mir so ohnmächtig vor wie die alte Frau mit ihrem Pinscher. Der Elektroarsch hat Spaß an meiner Hetze.

Ich hole ihn an der Ampel ein, der Ostdeich ist für Einlenker fast unpassierbar. Als das Licht endlich umschaltet, setzt er an, mich endgültig zurückzulassen. Ich starte noch im Sitzen, dann wird es mir zu dumm, diese Limousinenallüren des versorgten Behinderten, ich springe auf, packe die Lehne meines Rollstuhls und renne mit ihm über die Fahrbahn, an dem Mann vorbei, ich drehe mich nicht mehr um, ich messe mich nicht mehr.

Zu Hause überlege ich, was ich nun erwarte, was ich noch nicht ausprobiert habe. Noch zeigen sich die Leute keinen Vogel, ich warte, wann sie damit anfangen, aber sie können nicht wissen, was mich in den Rollstuhl zwingt. Vielleicht interessiert es sie überhaupt nicht.

Einen Vorteil hat es: Meine von je unterentwickelte Armmuskulatur ist kräftiger geworden, dafür atrophieren meine Beine, manchmal spüre ich sie gar nicht mehr.

Ich vernachlässige jetzt die Beinübungen aus dem Katalog, mein Elan ist erloschen, seit mir klar geworden ist, daß sie für Beinstümpfe gedacht sind.

Jans Anruf überrascht mich nur im ersten Moment, als ich die Stimme erkenne. Sie überschlägt sich vor Anspannung und Sorge, er fragt nach meiner Hüfte, es ist für mich fast eine Enttäuschung, ich war darauf gefaßt, daß er sich immer über die Grenzen hinwegsetzt, die anderen ausschließt, auch mich.

Er sagt, deine Schmerzen, dieser ständige Vorwurf an mich, auch wenn du nichts sagst. Wie kann ein Mann allein so schuldig sein? Weil ich dich in dieses Land geholt habe, du hast dort deine Sprache, deine Stadt gelassen, deine Leute hast du hier nicht gefunden. Denkst du, das ist mir gleichgültig?

»Wie geht es deiner Hüfte?«

»Ich spüre überhaupt nichts mehr.«

»Ich komme.«

Später finde ich eine Eintragung von ihm.

Es gibt ein übrigbleibendes Leben, nachdem alle Aufgaben erfüllt sind und aller Schutz für Frau und Kind vergebens gewesen ist. Die beständige Implosion eines versteinernden Kopfes, aus dem keine Verzweiflung mehr explodieren kann; die Traurigkeit des sinnlosen Starrens in Steine und Staub ist größer als die Macht des Lebens und die Macht des Todes. In ein solches Leben kann der Selbstmord nicht mehr eindringen. Es ist der tiefste Punkt unter dem Horizont, an dem Gefühl Bewußtsein ist und erstarrter, unbeweglicher Haß auf den Ort, an dem der Indianer noch steht.

In der Nacht habe ich einen Traum. Jan rennt auf einer hohen abgebrochenen Brücke auf das Ende zu, er will hinunterstürzen. Ich laufe ihm nach, versuche ihn mit Aufgaben zurückzuhalten – du mußt noch Tee kochen, mein Rad reparieren, das schwere Bett einfahren –, wie im Märchen, wo ein Kamm, ein Spiegel die Verfolger aufhalten sollen, aber dort wird ein Wald und ein See daraus, aus dem Bett wird nur das Bett, und die Aufgabe ist sinnlos. Ich weiß, daß ich den einzig waren Satz nicht sagen darf – daß ich ohne ihn tatsächlich nicht leben kann. Sein Entschluß hat etwas Kindliches, die Bitterkeit, die Trauer nach innen, die inwendige Traurigkeit – ich denke mir Listen aus.

Ich erreiche ihn, als er sich von der Kante hinabstürzt, springe ihm nach und umfasse seine Knöchel, reiße ihn unter mich, umarme seine Schultern und falle mit, schwebe leicht und glücklich, schwerelos, es kann uns nichts passieren, wir werden ewig leben!

14

Die Königin überblickte die Menge, die angespannten
Gesichter der Wartenden, Frauen vom Lande in weißen Hauben waren dabei und ganz stille, aufgeregte
Kinder, Männer von Bedeutung drängten sich hinter
den aufgepflanzten Spießen der Wache, ängstlich gierig, und im letzten Augenblick erstarrt vor eigener
Kühnheit, in die Knie sinkend, wenn ihr Blick sie
streifte; gedämpfte Schreie von Verzückung und süßer
quälender Ohnmacht beim Anblick der Majestät.

*Her face oblong, fair but wrinkled; her eyes small,
yet black and pleasant; her nose a little hooked, her lips
narrow, and her teeth black; her hair of an auburn
colour, but false.*

The Queen in all her state and magnificence.

*Whoever speaks to her, it is kneeling; now and then
she raises some with her hand. William Slawata, a Bo-
hemian baron, has letters to present to her; and she,
after pulling off her glove, gives him her right hand to
kiss, sparkling with rings and jewels – a mark of parti-
cular favour.*

Slawata wird die Antwort überbringen – ihre Zusa-
ge, aus dem Exil zurückzukehren, die Regierungsge-
schäfte zu übernehmen:

den Prager Groschen aufzuwerten, den Goldanteil
festzusetzen. Die Universität reformieren – die Kathe-
derinhaber werden wieder zumindest promoviert sein
müssen, sie selbst wird Examen abnehmen.

Festtage sind:

der Choral-Sieg der Hussiten bei Domažlice;

die Erstveröffentlichung der ›Polednice‹ von Karel
Jaromír Erben.

Weitere Staatsangelegenheiten:

eine Transaktion zwischen der Bodleian Library und der Nationalbibliothek auf Strahov; dito Uppsala.

Die Richtigstellung der bohemischen Kartographie nach Shakespeare – Einzeichnung der böhmischen Küste, *Die Verbesserung von Mitteleuropa;*

mit der Rückgabe der Karpaten-Ukraine wird die russische Bahn-Spurweite übernommen;

verpflichtende Sprache für Besucher ist Tschechisch.

Nach den Anstrengungen des Tages war sie müde und hatte Schmerzen. Der Arzt zitterte und wollte sich nicht festlegen; er hatte die langwierige Untersuchung immer von Grund auf vorgenommen, und wenn er sich einem Resultat hätte nähern müssen, das weitere Eingriffe erforderlich machte, abgebrochen und allgemein von Materialermüdung gesprochen. Er hätte von seinem Vorgänger die Kenntnis von ihrer Beschaffenheit übernehmen können – fürchtete er, zu viel zu erfahren, hatte er seine Einsicht unterlaufen? Dann waren seine Befürchtungen berechtigt.

Die Königin entkleidete sich.

Zuerst kamen die schweren Ringe und Gehänge, die steife Halskrause, der seidenschwarze Überhang, das schwere perlenbordierte Kleid aus Seidenbrokat.

Die Gestalt löste sich aus den Stützen von Fischgrat, aus den Schuhen, stand nun abgesunken vor dem dunklen Quecksilber-Spiegel, in weißen Strümpfen, in denen sie die Zehen frei bewegte, ohne sie zu spüren.

Als ihr die Perücke abgesetzt wurde, war die Kopfhaut gerötet, gereizt, verschwitzt, das wenige rötliche Haupthaar am Schädel angeklebt. Die Haut um die Augen war aufgerauht, echsenhaft facettiert, ein leichtes Tremolo auf den vorgewölbten Lidern. Von den schadhaften Zähnen war eine Reihe unten mit einem verdrillten Draht im Kiefer befestigt.

Die rechte Brust war Attrappe, sie nahm sie vor dem Schlafengehen selbst ab. An ihr versagte der Graf West-West; auch andere Höflinge hatten sich nicht bewährt, so sehr sie auch vom Glanz der verlotterten Majestät geblendet waren, von den Platin-Nieten in ihrer Schulter, von dem Gerücht des goldenen Nagels in ihrer Hüfte, von dem Karfunkel in ihrem Nabel – Belohnung für den Entdecker, später ein simpler Karneol, die Bedienung war auch immer schlechter –, sie wußten, welche Strafe auf Schwängerung stand.

Sie war dazu übergegangen, junge Knechte anzufordern, die keine Angst hatten, ihr Risiko nicht kannten. Sie bekamen vorher zu trinken, durch das erforderliche Bad wurden sie nüchtern, manche schliefen ein.

Der Zwerg, der ihre Zehen massierte, verteilte das Palasthündchen und die Katzen um ihr Bett, sie schmiegten sich mit lautem Schnurren an ihre Decke, sie ließ das Licht löschen. Sie wollte heute allein sein, sie verströmte einen leichten Leichengeruch.

Kaiser des Südmeers war Flugs. Kaiser des Nordmeers war Stracks. Kaiser der Mitte war Urdunkel. Flugs und Stracks trafen einander von Zeit zu Zeit im Lande Urdunkels, und Urdunkel begegnete ihnen mit großer Freundlichkeit. Da berieten sich Flugs und Stracks, wie sie die Gunst Urdunkels vergölten, und sie sprachen untereinander: Die Menschen haben alle der Öffnungen sieben, zum Sehen, zum Hören, zum Essen und zum Atmen. Der hier allein hat keine. Laßt uns versuchen, sie ihm zu bohren!

Täglich bohrten sie ein Loch. Am siebten Tag war Urdunkel tot.

Ich trete vor den Spiegel, zähle meine Öffnungen, es sind zehn, durch jede bin ich sterblich.

Ich taste nach Verhärtungen, fremden Körpern unter meiner Haut – ich suche den metallenen Mantel, der mir die devoten Ansprüche des Hofs und der Außenwelt abspiegelt, mich zwingend umschließt und zur Perfektion nötigt. Aber ich bin kein gepanzerter Skorpion, ich habe gebrechliche Rippen.

Keine Entzündungen, kein gelenkrheumatisches Fieber, das Mozart in meinem Alter krepieren machte.

Keine Sprödigkeit der einstmals Begehrten – meiner Schwester, Amalia Barnabas, der cumäischen Sibylle, die auf sich selbst zurückgebannt, als ein geschrumpftes Etwas in ihrer Grotte hängt, *und immer, wenn Jungen sie fragten: »Was wünschst Du, Sibylle?«, antwortete sie: »Ich wünsche zu sterben.«*

Meine Haut ist glatt, der Busen immer klein, mein Bauch ist rund, springt unterhalb des Nabels leicht vor (Folgen des Pilzgerichts?)

Ich wippe vor dem Spiegel, hüpfe auf dem inkriminierten Bein, vollführe einen »dupák« – einen Trampeltanz, dann die slowakische Variante »odzemok« – zu Ehren von Jánošík und Matica Slovenská.

Ich blecke die langen Zähne, Zeichen der Klugheit bei den Römern, grimassiere, habe Ringe unter den Augen, bin gesund.

15

Jenseits des Flusses endet die Straßenbahnstrecke in einer Schleife inmitten von Wiesen, an die sich stadtauswärts Äcker anschließen. Seit ich mit dem Rollstuhl fahre, ist die Stadt steiler geworden; der entrückte niedrige Hügelhorizont, der in den Lücken zwischen den Brauerei-Silos an klaren Tagen aufgraut, beginnt schon unter dem Stadtpflaster anzusteigen.

Die Straßenbahn endet vor dem letzten Drittel der Steigung, die Reihenhäuser sind hier vorläufig auch zu Ende.

Ich steige als letzte aus, lasse mir nicht helfen. Das Ritual meiner Feier erfordert, daß ich mich ohne Kniffe, ohne den Boden zu berühren den Berg hinaufstemme, auch ohne abzusetzen, sonst würde ich durch Zurückrollen an Höhe verlieren. Das hügelige Gelände zieht sich hin, die letzten Meter sind steil, ich muß einen längeren schrägen Weg nehmen, um nach oben zu gelangen.

Vom Plateau unter dem aufragenden Sockelstein, auf dem ein nackter Kämpfer lässig auf seiner Waffe lehnt (Hüftgelenkluxation?), überblicke ich die Stadt.

Ich könnte umkehren, mich um die ausgeschriebene Professur bewerben; mit meiner Qualifikation, dazu im Rollstuhl, müßte mir die Stelle sicher sein: Die methodische Biederkeit, die Applizier-Fertigkeiten der Dozenten hätte ich dann täglich vor Augen, das wären meine Kollegen.

Ich könnte die akademische Laufbahn der Siegelinde Czichorski bis in die Abwehrzentrale in Ulan-Ude verfolgen, wo sich ihr Dederon-Kostüm als kugelsichere Weste erweist.

Ich könnte nach der Verlegung von Vera S. in die

offene Alkoholiker-Station ein Telegramm an meine Schwester schicken:

> better a bottle in front of me
> than a frontal lobotomy

Ich könnte es als neuen Aufkleber für meinen Rollstuhl benutzen; der alte: »Für schwarze Küken!« auf der Lehne, ist vom häufigen Zusammenfalten ziemlich abgerupft.

Ich könnte in meinem Rollstuhl eine Wettfahrt mit der Straßenbahn zwischen den letzten zwei Stationen veranstalten.

Ich könnte vieles.

Statt dessen werde ich den Tod austreiben.

In einigen Gegenden Böhmens wird im Frühjahr eine Maske oder eine Strohpuppe unter Spott und Beschimpfungen von Kindern vor das Dorf getragen, ins Wasser geworfen und von den Jungen, die ihr nachspringen, zum Verbrennen ans andere Ufer geschafft; der Winter stirbt unter Qualm, man sagt auch, daß der Tod ausgetrieben wird.

Ich suche nach dem Weg, den ich mir für mein Vorhaben ausgedacht habe. Der Boden senkt sich in der erwarteten Richtung. Äste und Unebenheiten halten mich fest und verhindern das Abrollen. Ich zwänge mich durch Gebüsch auf einem Pfad voran, der sich allmählich durch Treckerspuren zu einer Schlammrinne vertieft, ich steige aus und schiebe den Rollstuhl quer durch den Wald, an weggeworfenen Kanistern vorbei, die technisch die Nähe eines Steinbruchs anzeigen könnten. Der Abhang wird steiler und endet an einer Abbruchkante, von der ich hinuntersehe.

Der Steinbruch ist größer, als ich mir vorgestellt hatte, es sind etwa vierzig Meter Höhe. Unten ist ein

Wendeplatz zu erkennen und nahe der Ausfahrt eine verrostete Kipplore im Gerank. Dort könnte Jakob abgerutscht sein, von hier aus hätte er es nicht überlebt. Das ist meine Stelle.

Ich nehme die Lammfellauflage vom Sitz und forme ein bauschiges Bündel, das ich mit dem Beckengürtel nach Richter-Bständig an der Rückenlehne befestige; es bilden sich Bauch und Hüften, die Taille ist schlank. Ich kleide den Rumpf in die verlangte Strickjacke, stopfe die bestellte Schachtel Appetithemmer in ihre Tasche und stecke oben das große Photo meiner Schwester mit Sicherheitsnadeln an, durchbohre das Gewohnheitslächeln des Tribünenkindes.

In den fünfziger Jahren sah man anläßlich der Mai- und Oktoberparaden verdiente, politikgegerbte Staatsmänner verdächtig blonde Kinder auf den Söllern ihrer Tribünen vor sich halten, in acht Meter Höhe, vor den vorbeidefilierenden Soldaten und zujubelnden werktätigen Massen.

Die Kinder hielten sich stramm und lächelten lange stolz, winkten mit Sträußchen. Meine Schwester hatte den Kopf zum Streicheln für Politiker.

Bis zu den Tribünen in Prag oder in Moskau schaffte sie es nicht. Die Kinder wurden wahrscheinlich während der stundenlangen Paraden ausgewechselt – volksnahe Schutzwehr in den Händen zittriger, übergesicherter Greise, lebende Zielscheiben, einstmals ein vertrauter Anblick in allen Volksdemokratien.

Ich war düster, aus schwarzen Eiern gekrochen, aus schwarzem Mehl gemacht, ich konnte nicht einmal richtig sprechen, machte Schande. Sie verzieh mir, wo sie nur konnte.

Ich nehme die teuren italienischen Schuhe, die sie mir in Prag gekauft hatte und die mich schon immer drückten, und befestige sie mit den Riemen an den Fußstützen des Rollstuhls.

Ein Punkt meines Rituals erfordert, daß etwas an der Attrappe echt ist; ich spange eine Haarsträhne, die ich mir abgeschnitten habe, an die Photographie.

Ich will dem Gesicht die prismatische Brille aufsetzen, aber sie hält auf dem glatten Photopapier nicht, außerdem ähnelt es meiner Schwester nicht mehr. Ich kann sie Jan geben, sie hat mit meiner Behinderung nichts zu tun.

In der Umgebung der Hussitenfestung Tábor wurde der Tod von einem Felsen vor der Stadt hinabgestürzt.

Ich fahre den Rollstuhl an den Rand des Abbruchs. Er würde unten auf der offenen Fläche zu lange liegen. Ich suche nach trockenem Holz, die Äste sind feucht wie die Erde. Auf einem herumliegenden Kanister steht »Hydraulik-Öl«, neben dem Flammenzeichen wird auf die Explosionsgefahr der Dämpfe hingewiesen. Der auf dem Boden schwappende Rest müßte reichen. Ich beträufle die Puppe, auf den schwer entflammbaren Sitz und die Lehne gebe ich mehr, ich möchte nicht, daß noch jemand meinen Rollstuhl fährt. Ich zünde ihn an, es klappt erst beim fünften Streichholz, aber die Flamme hält.

Ich warte, bis der Stuhl so lodert, daß er nicht mehr ausgehen kann, dann stoße ich ihn mit einem Ast hinunter. Auf einem Vorsprung im Fels prallt er auf und überschlägt sich, der Kopf der Puppe geht in einer hellen Flamme auf, die lockere Strähne wird davongeweht. Der Rest stürzt vor den Rand einer Pfütze, liegt verbogen da und schmort zu Ende.

Ich liege auf dem Bauch, beobachte, wie der grauschwarze Qualm dünn wird, die Puppe ist nicht mehr zu erkennen. Ich summe vor mich hin, mit verschnupfter Stimme *Sog nischt kejnmol as du gejst dem letstn weg*, stehe auf und gehe ohne Last, der höckrige weiche Boden fängt die Schwäche meiner Hüfte auf.

Es ist der dritte Juni, der Winter ist längst vorbei, ich habe den Tod ausgetragen.

An diesem Tag starben Franz Kafka und Arno Schmidt, meine Widersacher, meine Stützen. Ich begehe die Todesfeier stehend, ohne meinen ambulanten Thron.

Als Arno Schmidt starb, ging das schwerste Hagelgewitter über Südniedersachsen nieder, Pflanzen wurden erschlagen und Kleintiere.

Wie das Wetter in Niederösterreich 1924 war, weiß ich nicht.

Kafkas Todesdatum

IN DER FRÜHE, es ist noch dunkel, steht Olga mit dem am Vorabend gepackten Bündel in der Tür und horcht auf die Schlafgeräusche der Familie. Draußen graut es schon. Die Madeleinegasse liegt in tiefem Schweigen vor ihr, kein Licht fällt hinein. Sie zieht die Tür hinter sich zu, ein paar Schritte vom Haus sieht sie am entfernten Dorfende ein Licht, das wird Gerstäcker sein, der anspannt. Sie biegt zu Lasemanns ein, schreitet an ihnen vorüber und an der Schule, aus dem Schuppen des Gemeindehauses ragt der alte Feuerwehrwagen halb heraus und versperrt den Weg. Sie sieht den Vater darauf, wie er früher war, wenn er sie hochhob und lachte.

Sie ist schon weiter, sie läßt sich nicht aufhalten. Die letzten Häuser sind erreicht, in dieser Richtung ist das Dorf kurz. Aus dem Brückenhof hört sie Gardenas erbärmliches Husten – wie lange kennt sie es schon?

Auf der Brücke, die auf die Landstraße führt, dreht sie sich um. Die Dorfhäuser liegen deutlich umrissen da, kein Schloß weit und breit. Die Knechte im Pferdestall, die Geschwister und El-

tern hat sie hinter sich gelassen. Sie wendet sich ihrem Weg zu, der blühenden und staubigen Apfelbaumlandschaft der Chaussee –
she's leaving home, bye bye.